P9-DDZ-153

RONALD

Ronald

La Colección de L. Ronald Hubbard

Bridge Publications, Inc.
5600 E. Olympic Blvd.
Commerce, California 90022 USA

ISBN 978-1-61177-645

Se agradece de manera especial a la L. Ronald Hubbard Library por el permiso para reproducir las fotografías de su colección personal. Reconocimientos adicionales: pp. 1, 7, 31, 51, 75, 99, 115, portada trasera caesart/Shuttershtock.com; pp. 4-5 Stacey Lynn Payne/Shutterstock.com; pp. 8-9 Karl Weatherly/Getty Images; p. 13 American Stock Photography Inc.; p. 18 George Marks/Getty Images; pp. 24-25 Archives Holdings Inc. / Getty Images; pp. 48-49 Anton Foltin/Shutterstock.com; pp. 78-79 Al Monner/Historic Photo Archive.net; p. 87 Pacific School of Religion; pp. 96-97 Anna Kucherova/Shutterstock.com; p. 101 M Reel/Shutterstock.com.

Impreso en Estados Unidos

The L. Ron Hubbard Series: Philosopher & Founder—Spanish LATAM

La Colección de L. Ronald Hubbard

FILÓSOFO Y FUNDADOR

EL ESPÍRITU REDESCUBIERTO

Bridge

Publications, Inc.®

CONTENIDO

Una Introducción a
L. Ronald Hubbard

Los materiales de Scientology comprenden la mayor colección de obras escritas y habladas de cualquier obra filosófica individual. Esos materiales, además, han dado lugar a la única religión de gran expansión del siglo XX, y por lo tanto constituyen la piedra angular espiritual para varios millones de partidarios en todos los continentes.

Fue además mediante la filosofía de Scientology que L. Ronald Hubbard indujo sus soluciones a la criminalidad, a la drogadicción, al analfabetismo y a la agitación social: todas ellas utilizadas ahora por muchos millones más de personas, prácticamente en cada nación de la Tierra. No obstante, cuando examinamos los principios en los que se fundó esa filosofía, encontramos unas convicciones verdaderamente simples. En primer lugar, L. Ronald Hubbard nos dice que la sabiduría está destinada a aquellos que deseen alcanzarla, y que nunca se debería contemplar con temor reverente. Después nos dice que el conocimiento filosófico sólo es pertinente a nuestras vidas si realmente podemos aplicarlo, ya que "el aprendizaje encerrado en libros enmohecidos es de poca utilidad para nadie". Finalmente nos dice que la filosofía no tiene valor a menos que se pueda usar o sea verdadera, y que si llegamos a conocer la verdad acerca de nosotros mismos, entonces la verdad nos hará libres.

En las páginas siguientes, se presentan quince artículos de L. Ronald Hubbard que hablan de su viaje filosófico hasta la fundación de Dianética y Scientology. A modo de introducción, definamos primero *filosofía* como el amor a la sabiduría o la búsqueda de la sabiduría, y digamos que tradicionalmente comprende todas las grandes búsquedas de la verdad. A continuación, y específicamente dentro de ese contexto, apreciemos la obra de L. Ronald Hubbard situándola dentro de la más antigua tradición filosófica, que se remonta cuando menos a los albores del pensamiento religioso. Finalmente, describamos Scientology como una filosofía religiosa *aplicada,* y entendamos que se basa, no en teorías ni en suposiciones, sino en axiomas que provienen de una observación exacta. De hecho, cuando hablamos del viaje filosófico de Ronald, estamos hablando realmente del primer examen minucioso y metódico de temas espirituales, en el cual, el único criterio había sido que funcionaran.

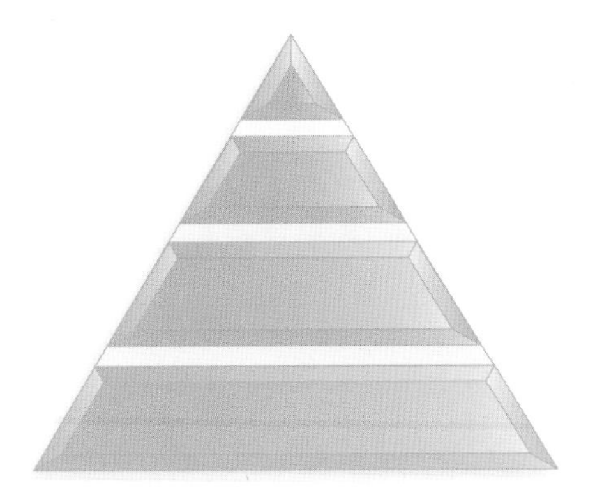

Es decir: ¿los procedimientos provenientes de esta búsqueda mejoran en realidad nuestra capacidad para sobrevivir, nos hacen de hecho más felices, más causativos y más capaces? Por lo tanto, en lo que a eso respecta, no estamos hablando de filosofía en ningún sentido general: un discurso sobre la existencia, una contemplación de la realidad o una afirmación sobre nuestro lugar en este mundo. Ni tampoco estamos hablando de lo que pasa por filosofía ante un credo materialista en el que todo pensamiento filosófico se vuelve falto de significado alguno más allá de tópicos deprimentes como: *"Tu vida es un accidente biológico, así que más vale que te aferres a lo que puedas antes de morir"*. Por el contrario, estamos abordando la filosofía como algo resultante de una búsqueda de lo *que es,* de verdades que funcionan, que son pertinentes y útiles en cada faceta de nuestras vidas. O como lo expresara Ronald mismo: "Nos estamos ocupando de *descubrimientos*".

"Estamos estudiando el alma o el espíritu. Lo estamos estudiando como tal. No estamos intentando usar este estudio para mejorar ningún otro estudio o creencia".

En el núcleo de esos descubrimientos yace una visión verdaderamente sorprendente del hombre como ser intrínsecamente espiritual que vive, no unos ochenta años antes de que la muerte lo acabe, sino de hecho, para siempre. En la forma en que podríamos realizar esa visión es mediante el proceso de la *auditación,* que es la práctica central de Scientology y se define como la aplicación de procedimientos de Scientology por un auditor (del latín *audire,* escuchar). La auditación es una actividad de gran precisión y se basa en el principio de que si podemos captar verdaderamente el origen de lo que nos causa dificultades, entonces ya no tendremos dificultades. La totalidad de la auditación de Scientology y de la preparación de los auditores se presenta en El Puente de Scientology, que a su vez describe la ruta hacia estados de consciencia y habilidad cada vez mayores; sin importar, como lo expresa Ronald tan provocativamente: "Si la persona continúa siendo un ser humano o se convierta en otra cosa".

Cómo llegó L. Ronald Hubbard a esa declaración y qué significa dentro del contexto más amplio de nuestras vidas, es por supuesto el tema principal de todo lo que aquí se presenta. En todo caso, y como últimas palabras de introducción, destaquemos los temas principales. Primero, aquellos que imaginan un filósofo distante y contemplativo, están a punto de desengañarse, ya que cuando hablamos del viaje filosófico de Ronald, estamos hablando genuinamente de un *viaje,* no de un tamizado de ideas en

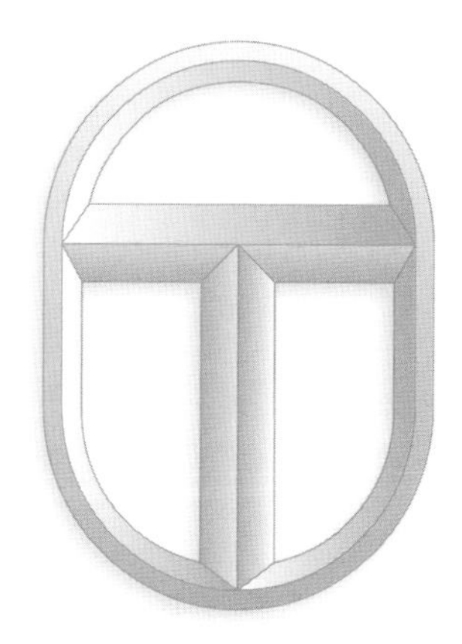

algún claustro académico, sino de un estudio de la existencia "de arriba abajo y de abajo arriba", según lo describió él. Lo siguiente es que aquellos que consideran este tema en gran medida irrelevante (o en el mejor de los casos, ligeramente interesante), también están a punto de desengañarse, porque aquí se presenta la filosofía, no como una discusión sobre la vida, sino como un instrumento para la vida. De hecho, aquí se presenta la filosofía como la *vida en sí.* Finalmente, y en particular para aquellos que ya están familiarizados con las obras de L. Ronald Hubbard, aquí se encuentran varios ensayos, artículos escogidos y exposiciones excepcionales, que provienen de todos los momentos críticos de la ruta filosófica de Ronald; desde su obra contemplativa más antigua, el ya legendario "Excalibur", pasando por su profundamente personal "Mi Única Defensa por Haber Vivido", hasta una conversación con el eminente teólogo, el Dr. Stillson Judah, nunca antes publicada. Se incluyen además, notas de Ronald sobre los fenómenos de la muerte, la revelación de vidas pasadas y la composición literaria de 1955 en que se basa el título de este libro: "El Alma Humana Redescubierta", donde relata la odisea a través de lo que constituye todo el pensamiento del siglo XX, para finalmente llegar a lo que es una perspectiva filosófica absolutamente extraordinaria:

"Estamos estudiando el alma o el espíritu. Lo estamos estudiando como tal. No estamos intentando usar este estudio para mejorar ningún otro estudio o creencia. Y estamos contando la historia de cómo fue que el alma necesitaba ser redescubierta". ■

CAPÍTULO UNO

Una Nota en Relación con SOBREVIVE Y "EXCALIBUR"

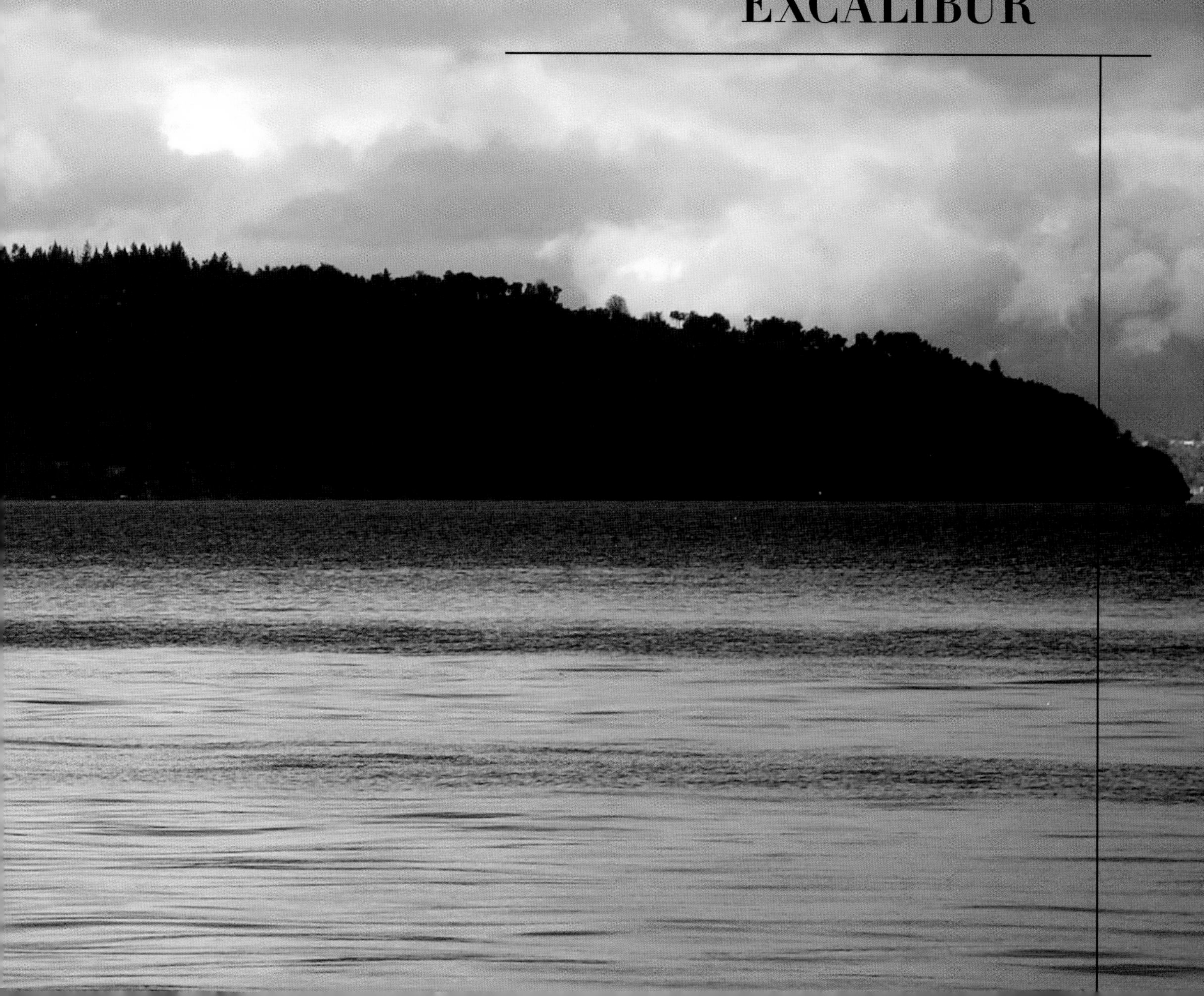

Una Nota en Relación con Sobrevive y "Excalibur"

"SUPONGAMOS QUE TODA LA SABIDURÍA DEL MUNDO *SE REDUJERA* exclusivamente a una sola línea; supongamos que esa única línea se escribiera hoy en día y se te entregara a ti..." —L. Ronald Hubbard

Mucho antes del advenimiento de Dianética o de Scientology, todos los que estaban familiarizados con L. Ronald Hubbard habían llegado a esperar que al final haría una entrada extraordinaria en el campo filosófico. Esa entrada, ampliamente concebida durante el curso de una extraordinaria semana a principios de 1938, se recuerda hoy en día como "Excalibur". En los términos más simples, esta obra se puede describir como una primera declaración filosófica. Anteriormente (y como lo veremos en artículos posteriores) él había viajado a lugares lejanos y había establecido mucho en lo referente a una base filosófica. Sin embargo, aquí, a la edad de veintiséis años, vino su primer resumen formal "para organizar mis propias ideas", según él modestamente lo expresó, "para mi propio beneficio particular". Sin embargo, tomando en cuenta todo lo que el manuscrito inspiró con el tiempo, dos copias fueron robadas por agentes extranjeros de servicios de espionaje, quienes quisieron apropiarse de esas ideas con fines políticos, y solamente quedaron secciones de la obra; tal descripción a duras penas parece suficiente.

La esencia de "Excalibur" es la reveladora afirmación de Ronald de que el único factor común de la existencia es Sobrevive. Que todos los seres vivos están intentando sobrevivir, es, por supuesto, un dato conocido. Pero que la vida *solamente* está intentando sobrevivir, esto era nuevo. Además, la forma en que él interpretó el dato, fue algo nuevo; es decir, un "patrón definido", como lo denomina en alguna otra parte, con el que se podrían coordinar campos enteros de conocimiento. Todos los que están familiarizados con las obras de Herbert Spencer (Ronald mismo aparentemente se abrió camino leyendo al menos los diez tomos principales de la *Filosofía Sintética*) pueden reconocer este concepto:

"El campo y función propios de la filosofía se encuentran en la recapitulación y unificación de los resultados de la ciencia. 'El conocimiento de clase más baja es conocimiento no unificado; la ciencia es conocimiento parcialmente unificado; la filosofía es conocimiento completamente unificado'. Esa unificación completa requiere de un principio amplio y universal que incluya toda experiencia y describa las características esenciales

La casa de L. Ronald Hubbard en Port Orchard, Washington, sobre el Estrecho de Puget. Ahí se encuentra el legendario retiro del escritor, también conocido como "Hilltop Cabin", (Cabaña en la cima del cerro) donde escribió su primera obra filosófica, que se recuerda hoy en día como "Excalibur".

de todo conocimiento. ¿Hay un principio de esta naturaleza?".

A lo cual, por supuesto, "Excalibur" responde de manera inequívoca con *¡Sobrevive!*

Cómo llegó Ronald en realidad a Sobrevive, es una historia bastante monumental, pero en especial abarca una secuencia fundamental de experimentos citológicos en 1937 en los que logró demostrar que una reacción a las substancias tóxicas era heredada a nivel celular. Es decir, habiendo cultivado una variedad de células bacterianas, el cultivo fue expuesto a chorros de vapor que no causaron ningún efecto en las células. Luego, aplicando chorros de humo de cigarrillos inherentemente tóxico, observó con interés que el cultivo reaccionaba y se retiraba de la amenaza. Después de continuar "provocándolo" con humo, substituyó el humo por vapor para observar a las células que ahora tomaban al vapor por algo tóxico y se retiraban de manera similar. Finalmente, cultivando una segunda y tercera generación de células, a partir de la primera, descubrió que cuando a estas generaciones posteriores se les exponía al vapor, igualmente tomaban al vapor por humo tóxico, y se retiraban a favor de la supervivencia.

Aunque el punto parezca sólo teórico, no lo es; ya que de acuerdo a la teoría de Darwin y, por ende, al fundamento de todo el pensamiento relativo a la biología y a la conducta, las reacciones aprendidas no se pueden heredar.

El Estrecho de Puget, Washington: sitio donde tuvo lugar una intensa búsqueda y descubrimiento por parte de LRH de 1937 a 1940

Más bien, se dice que toda la vida es regida por la casualidad, como si se tratara de un juego de azar en el que no formaría parte la inteligencia. De esta forma, por ejemplo, el pájaro ancestral desarrolló alas solamente como una función bioquímica y no de acuerdo a algún ímpetu inherente hacia la supervivencia. Sin embargo, en el momento en que nosotros introducimos la supervivencia como un impulso omnipresente, que se transmite de una célula a otra, estamos introduciendo una *inteligencia* por detrás del plan general de la vida: un "factor X" como Ronald inicialmente lo denominó, que da forma y significado a la vida en maneras que Darwin simplemente no pudo explicar. En lo que se refiere a aquellas primeras semanas de 1938 y al borrador de su manuscrito, Ronald diría poco más sobre este factor X. Pero al considerar el mensaje central de "Excalibur", no pudo evitar preguntarse quién o qué dio primero esa única orden resonante de: *¡Sobrevive!*

"Supongamos que toda la sabiduría del mundo se redujera exclusivamente a una sola línea; supongamos que esa única línea se escribiera hoy en día y se te entregara a ti".

Sobra decir que el ámbito de "Excalibur" es inmenso y propone, no solamente los medios para colocar toda la vida (ya sea humana o celular) en un marco exacto de Supervivencia, sino un método para resolver cualquier problema relacionado con la existencia. O como Ronald mismo lo explica: "El designio de este libro es indicar la verdadera perspectiva de la vida del hombre". El hecho de que "Excalibur", sin embargo, no ofreciera también una terapia viable, fue la razón principal de que Ronald finalmente eligiera no publicar el manuscrito. Es decir, si la totalidad de su búsqueda se pudiera definir desde el punto de vista de una convicción de que la filosofía debe ser viable y se debe poder aplicar, entonces "Excalibur" se podría considerar únicamente como un peldaño en el camino. Sin embargo, con el desarrollo subsiguiente de Dianética, todo lo que es "Excalibur" básicamente se dio a conocer y, de hecho, puede encontrarse en *Dianética: La Ciencia Moderna de la Salud Mental,* y *Dianética: La Tesis Original.*

Aquí se presentan las primeras páginas de "Excalibur". Como información adicional, podría mencionarse que todos los hechos aquí mencionados tuvieron lugar en la cabaña de Ronald en Port Orchard, Washington; excepto, por supuesto, la nota introductoria de Ronald acerca de su operación casi fatal en el consultorio dental del Dr. Elbert E. Cone en Bremerton, Washington... ■

Port Orchard, Washington
1 de enero de 1938

Todo comenzó con una operación. Me dieron gas como anestesia, y mientras estaba bajo sus efectos, mi corazón debió haber dejado de latir, pues con terror supe que me deslizaba a través de la Cortina y me adentraba en la tierra de las sombras. Era como bajar deslizándome atropelladamente hacia el interior de un torbellino color escarlata, y saber que estaba muriendo y que el proceso de morir distaba mucho de ser placentero. Después, durante mucho tiempo supe que "la muerte estaba a ocho pulgadas por debajo de la vida". Trepar para volver a salir del cono fue un trabajo terrible, porque Algo no quería dejarme atravesar el muro para regresar, y entonces, cuando me abrí paso a base de pura voluntad, lo determiné contra toda oposición. Y Algo empezó a gritar: "¡No dejen que él lo sepa!"; y luego más débilmente: "No dejen que él lo sepa".

A pesar de estar alterado en extremo, me encontraba bastante racional cuando me recuperé. La gente a mi alrededor parecía asustada, más asustada de lo que yo estaba. Yo no pensaba en lo que me acababa de pasar tanto como en lo que *sabía*. Todavía no había regresado completamente a la vida. Aún estaba en contacto con Algo. Y en ese estado permanecí durante algunos días: todo el tiempo dándole vueltas en la cabeza a lo que *sabía*. Estaba claro que si tan sólo pudiera recordar, tendría el secreto de la vida. Esto, en sí, era suficiente para volverse loco: tan ilusoria era esa información que simplemente estaba fuera del alcance. Y entonces una mañana, justo cuando me desperté, me llegó. Me bajé de mi elevada litera marinera, y me dirigí hacia mi máquina de escribir. Y empecé a escribir furiosamente ese secreto; y cuando ya había escrito diez mil palabras, entonces lo supe aun más claramente. Destruí las diez mil y empecé a escribir de nuevo.

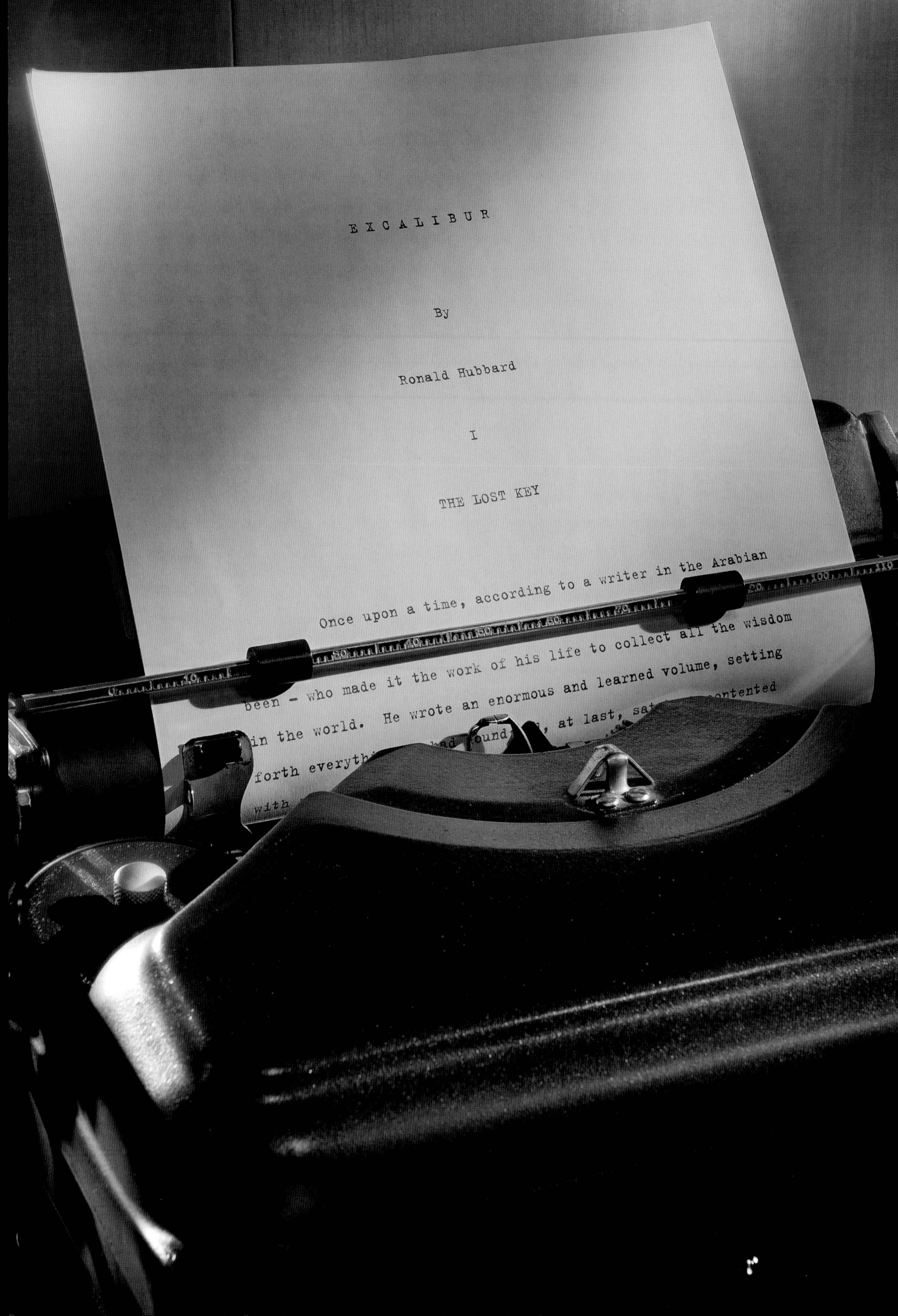

E X C A L I B U R

By

Ronald Hubbard

I

THE LOST KEY

Once upon a time, according to a writer in the Arabian

been – who made it the work of his life to collect all the wisdom

in the world. He wrote an enormous and learned volume, setting

forth everythi had found , at last, sat ontented

with

ENERO DE 1938

EXCALIBUR

de L. Ronald Hubbard

Según un escritor de *Las Mil y Una Noches*, hace muchos años existió un anciano muy sabio (y sabio debió de haber sido) que dedicó su vida a la labor de reunir toda la sabiduría del mundo. Escribió un volumen enorme y sabio en el que detallaba todo lo que había encontrado; y, al final, se sentó cómodamente, satisfecho de una labor bien hecha. Enseguida, la idea de que había escrito demasiado disipó su satisfacción. Así que se sentó otros diez años para reducir el volumen original a una décima parte de su tamaño.

Cuando terminó, de nuevo se consideró satisfecho; pero de nuevo descubrió que estaba equivocado. Con minuciosa precisión, redujo esta segunda obra a una sola página. Pasaron otros diez años y el anciano filósofo se hizo más sabio aún. Tomó aquella página y la redujo tan sólo a una línea que contenía todo lo que había por saberse. Al cabo de una década más, el viejo escritor se encontraba cerca de la muerte. Había colocado esa extraordinaria línea en un nicho en la pared para guardarla en un lugar seguro, con la intención de hablarle a su hijo acerca de ella. Pero ahora cambió de parecer una vez más.

También hizo pedazos esa línea.

Supongamos que toda la sabiduría del mundo *se redujera* exclusivamente a una sola línea; supongamos que esa única línea se escribiera hoy en día y se te entregara a ti. Con ella podrías comprender los fundamentos de toda vida y de todo empeño: el amor, la política, la guerra, la amistad, la criminalidad, la demencia, la historia, los negocios, la religión, los reyes, los gatos, la sociedad, el arte, la mitología, tus hijos, el comunismo, los banqueros, los marineros, los tigres y un sinfín de cosas más. Es más: imagina que esta línea única pudiera decirte todo acerca de ti mismo; que pudiera resolver todos tus problemas y apaciguar todas tus inquietudes.

Si toda la sabiduría del mundo se pudiera comprimir en una sola línea, sin duda alguna haría todas estas cosas y más. *Existe* una línea, creada a partir de un maremágnum de hechos, que se ha hecho asequible como unidad integrada para explicar esas cosas. Esta línea es la filosofía de la filosofía, que por lo tanto lleva al tema completo de regreso a la simple y humilde verdad.

Toda la vida está dirigida por una orden y únicamente una orden: ¡SOBREVIVE!

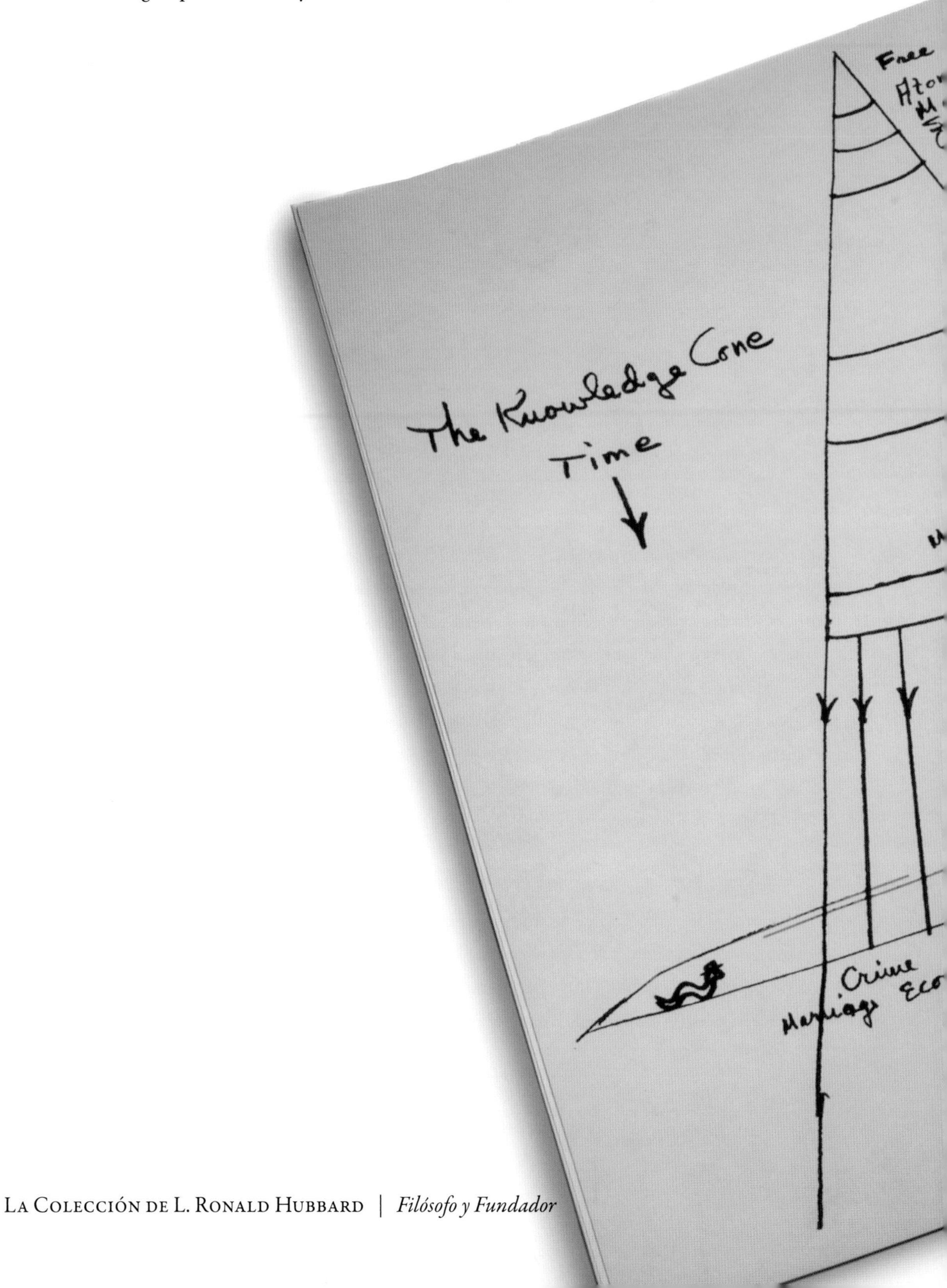

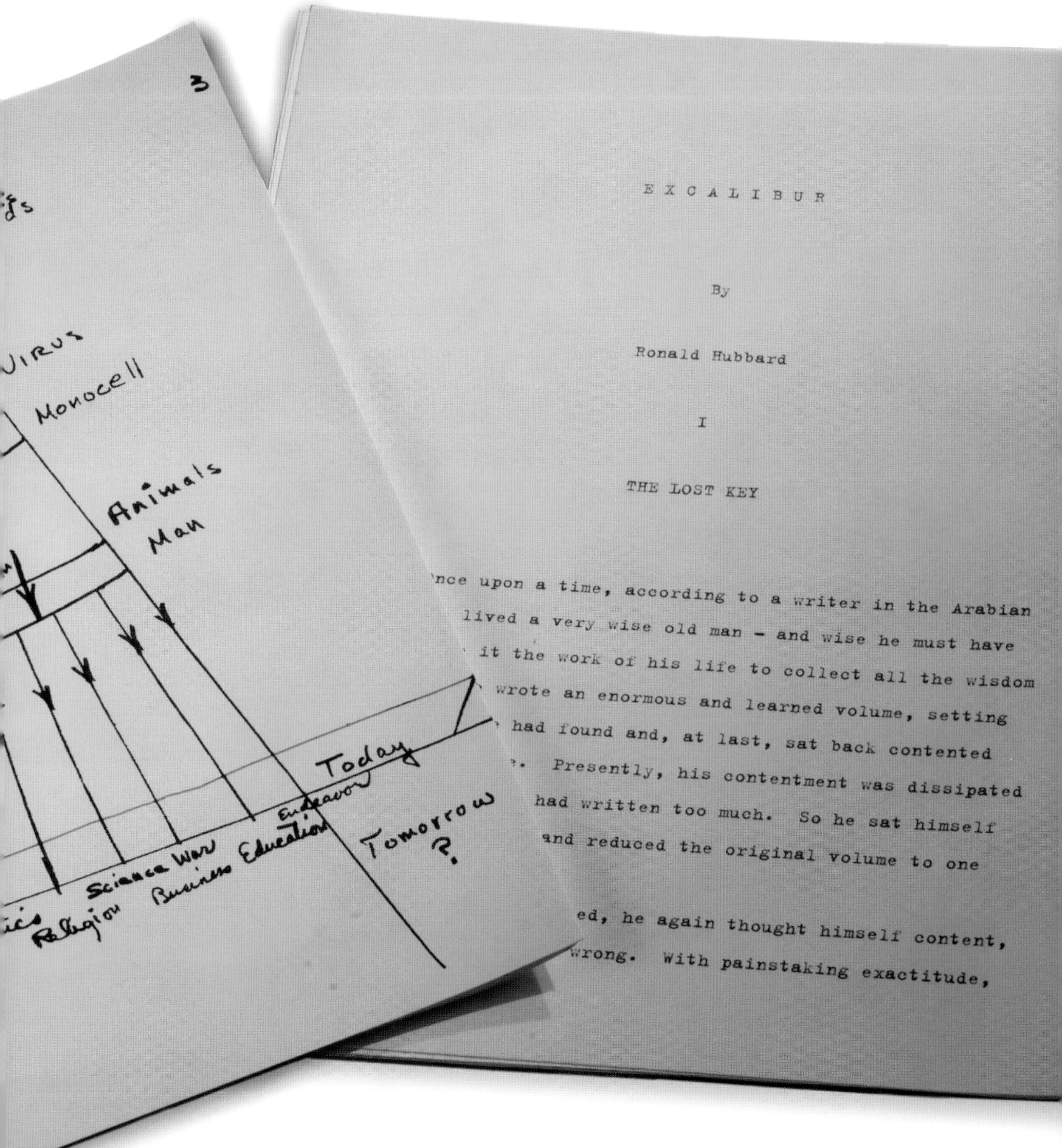

3
VIRUS
Monocell
Animals
Man
Today
Endeavor
Tomorrow
?
Science War
Business Education
Religion
E X C A L I B U R
By
Ronald Hubbard
I
THE LOST KEY
upon a time, according to a writer in the Arabian
lived a very wise old man - and wise he must have
it the work of his life to collect all the wisdom
wrote an enormous and learned volume, setting
had found and, at last, sat back contented
Presently, his contentment was dissipated
had written too much. So he sat himself
and reduced the original volume to one
ed, he again thought himself content,
wrong. With painstaking exactitude,

El retiro Hilltop del escritor en Port Orchard, Washington

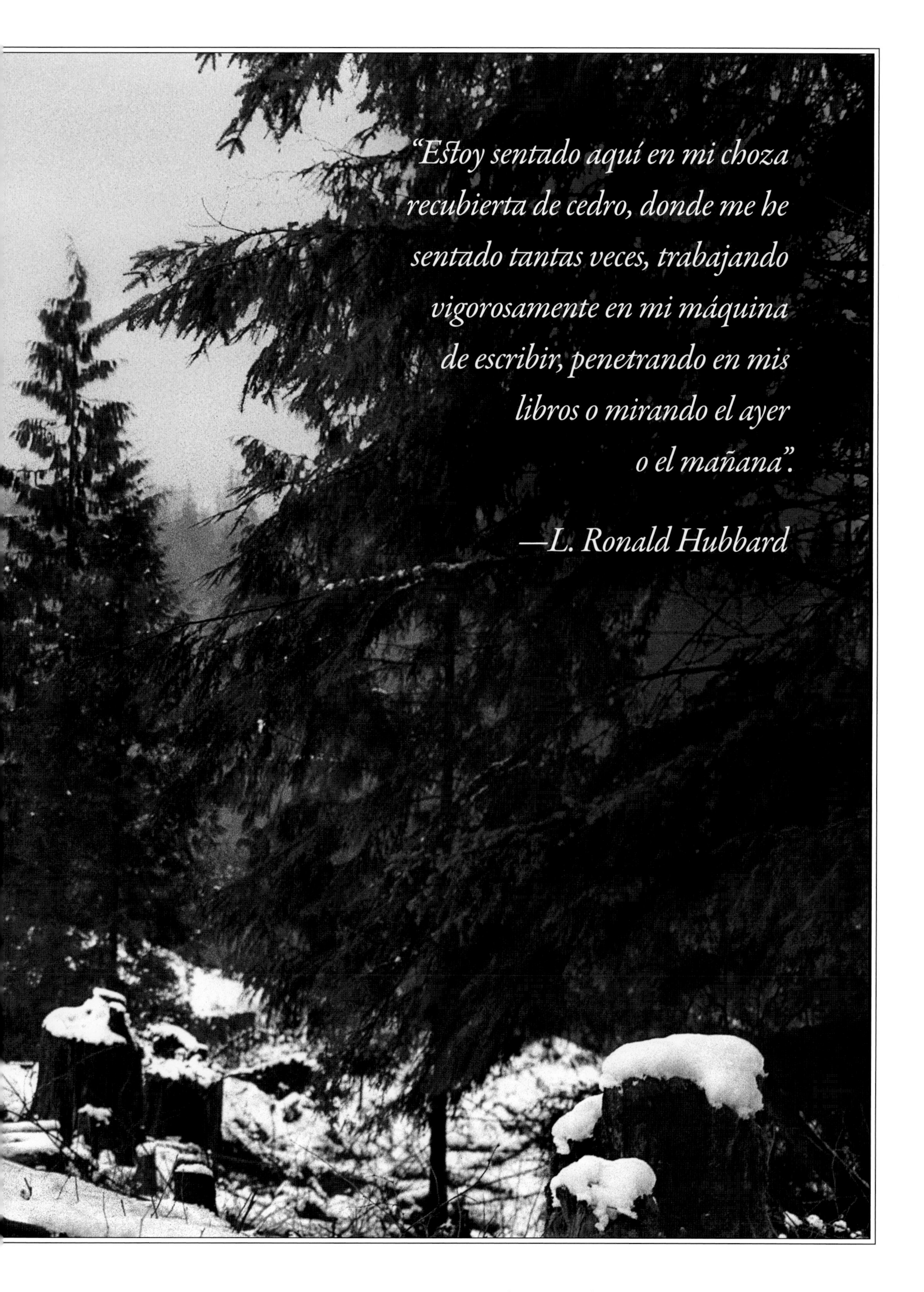

"Estoy sentado aquí en mi choza recubierta de cedro, donde me he sentado tantas veces, trabajando vigorosamente en mi máquina de escribir, penetrando en mis libros o mirando el ayer o el mañana".

—L. Ronald Hubbard

Para julio de 1938, con "Excalibur" archivado por falta en una tecnología viable, Ronald regresó a su vida literaria en la ciudad de Nueva York. Fue un periodo muy emocionante y se recuerda principalmente por sus primeras obras de ciencia ficción para Astounding Science Fiction (Ciencia Ficción Asombrosa), de John W. Campbell, hijo. Sin embargo, algo que por lo general no se recuerda, es el hecho de que el esfuerzo inicial de Ronald escasamente calificaba como ciencia ficción. Mejor dicho, fue una obra de ficción filosófica que él extrajo de la misma profunda fuente que "Excalibur".

Se tituló "La Dimensión Peligrosa". El protagonista es un profesor de filosofía que descubre una fórmula arcana que lo teletransporta a cualquier lugar que se imagine: Nueva York, París, Marte y inevitablemente, el Sol. Aunque Ronald mismo admitió que su trabajo carecía de cualquier base realmente científica, la base filosófica era muy firme. Debido a las circunstancias, y especialmente para satisfacer las solicitudes de sus lectores, Ronald entregó "Milagros del Porvenir".

El prefacio presenta una simple declaración de los detalles.

"La base de 'La Dimensión Peligrosa' es filosófica. Es muy autentica. El Veda, el yoguismo, hace mucho, mucho tiempo descubrió que su primer discípulo entraba en un trance en el que podía proyectarse a sí mismo, a su esencia de vida, a otros reinos y dimensiones. Esta base hindú es bastante válida cuando se considera que todas nuestras religiones y gran parte de nuestra ciencia han venido de la India, y eso es parte de un credo vasto".

También entre sus notas preliminares hay un comentario sobre el filósofo inglés-irlandés George Berkeley (1685–1753), quien afirmaba: "Todo es una inteligencia divina", lo que a su vez evoca la antigua idea de que "Todo es una Mente y por lo tanto nada existe excepto la Mente y, en consecuencia, no hay espacio". De nuevo, hay algo más sobre las misteriosas formulaciones de Spinoza y los principios de Spencer. Pero en resumidas cuentas es sólo la pregunta perdurable de Ronald: ¿Eran en realidad los principios de la ciencia ficción sólo una rama de la filosofía Oriental? Y de ser así: "¿Qué es la ciencia después de todo? ¿O se trata de algo diferente, quizás más importante?

En lo que representa la declaración de Ronald que resume todo el pensamiento filosófico, presentamos: "Milagros del Porvenir".

MILAGROS DEL PORVENIR

de L. Ronald Hubbard

¿Cuántos hombres alguna vez se han detenido una noche de verano a contemplar las estrellas y dedicar un pensamiento, no a la astronomía, sino a los primeros hombres que resolvieron los enigmas del movimiento de los planetas? Por supuesto, todos los hombres instruidos, en uno u otro momento, han indagado superficialmente sobre la fuente de tales hechos. Pero hoy en día hablamos grandiosamente de las galaxias y consideramos que la astronomía es una ciencia exacta y hacemos una reverencia ante los hechos.

Probablemente no existe un profesor en el mundo que, advertida o inadvertidamente, no haya ridiculizado la ignorancia de los antiguos; y no existe un campo en el que esto sea más evidente que la astronomía.

Estos son algunos de los hechos:

> Los hebreos y caldeos de la antigüedad, entre otros, creían que la Tierra era plana, que las montañas sostenían al firmamento el cual contenía al mar, que a su vez, se filtraba causando lluvia. Las llanuras planas no eran sostenidas por nada en particular. Por supuesto todos sabemos esto, pero hay algo que vale la pena señalar.
>
> Los hindúes creían que la Tierra era un hemisferio, sostenido por cuatro enormes elefantes. "Esto parece haber sido completamente satisfactorio hasta que alguien preguntó qué sostenía a los elefantes. Después de algo de discusión, los sabios de la India acordaron que los cuatro elefantes estaban sobre una gran tortuga de fango. De nuevo la gente al parecer estuvo satisfecha hasta que alguna persona inquisitiva planteó la pregunta relacionada con lo que estaba sosteniendo a la tortuga de fango. Imagino que para entonces los filósofos se

habían cansado de responder estas preguntas, porque se dice que respondieron que había fango debajo de la tortuga de fango y el fango llegaba hasta el final".*

De acuerdo con el Veda de la India, la Tierra se apoyaba sobre doce pillares, dejando amplio espacio para que el sol y la luna pasaran por debajo y salieran al otro lado.

Si lo deseas, puedes hallar una multitud de tales creencias, todas suficientemente comunes. Pero hay dos hechos relacionados con ellas y con su presentación que son de lo más erróneo. Al examinar la cita anterior uno ve que se han confundido los términos. Los hombres que formulan preguntas y luego deducen respuestas son, en realidad, filósofos. La multitud acepta cualquier cosa que parece tener relacionada cierto grado de reverencia académica y se aferra a ella desesperadamente. Los sacerdotes, no los filósofos, satisfacen a las masas, lo que hizo que Schopenhauer llamara a la religión la "metafísica de las masas". El otro error es considerar que estas creencias eran absurdas y que los científicos, trabajando en sus laboratorios u observatorios, son totalmente responsables de las ideas que llenan el mundo del pensamiento.

No es que nosotros queramos defender estos hechos relacionados con el estado de la Tierra. Al contrario. Pero no se han presentado para ridiculizarlos, pues son las ideas que algún filósofo desarrolló con dificultad con la escasa información de la que disponía, y él no contaba con la ayuda de medios de comunicación, de viajes, de instrumentos o incluso de las matemáticas. Son lo que hemos preferido llamar hipótesis que poseen suficiente verdad como para ser aceptadas. Hoy en día, gracias a Copérnico y todos los demás, sabemos acerca de la gravedad. Gracias a Newton tenemos matemáticas. Gracias al pulidor de vidrio tenemos un telescopio.

En un antiguo tratado en sánscrito se dijo que el mundo era redondo. Tales, Homero, Aristóteles, Pitágoras, Tolomeo y otros, observaron varias evidencias que demostraban que la tierra era una esfera. En el año 250 A. C. Eratóstenes calculó la circunferencia de la Tierra, errando por tan sólo 166 kilómetros (y él no tenía ninguna ayuda mecánica o matemáticas "avanzadas").

Por supuesto, estos señores cometieron errores en sus hipótesis. Tolomeo, en 140 A.C. concibió siete esferas cristalinas para explicar el movimiento planetario. Para contrastar esto, mucho antes (en el siglo VI A. C.) Pitágoras enseñó que la Tierra giraba alrededor del Sol pero erró al suponer que el Sol era el centro del universo. Aristarco, en el tercer siglo A. C., y Capella en el siglo V d. C. también enseñaron que la Tierra en sí giraba, y que también giraba alrededor del Sol. Copérnico, en el siglo XVI, le dio al mundo el sistema que se usa en la actualidad.

Ahora, lo que queremos señalar es esto: a lo largo de la historia los hombres han concebido varias hipótesis en relación con la astronomía. A la vez, se inventaron instrumentos y se hicieron otros descubrimientos, poniendo en manos de los investigadores una idea global y también los medios para examinarla. Ha transcurrido un lapso de tiempo considerable, naturalmente, entre una creencia ampliamente difundida y la búsqueda filosófica de nuevas verdades.

Nos gusta pensar en términos del mañana. Pero el futuro se escribe con la pluma del presente y la tinta del pasado. Nos agrada creer que aquello que ahora poseemos es infalible y no susceptible a grandes cambios. Y cuando empezamos a concentrarnos en ciertos temas de investigación, la ciencia se alimenta

* *Astronomía del Doctor Arthur M. Harding, p. 4*

totalmente de las declaraciones de sus predecesoras. Si un hombre propusiera una nueva teoría (no ha habido una desde el siglo XIX), entonces él ya no es un científico sino un filósofo.

Recordemos a Voltaire y su consejo de que definiéramos nuestros términos. ¿Qué es la ciencia? ¿Qué es la filosofía? Además, ¿qué esperamos ganar con ella al saberlo? ¿Nos beneficiaremos lo suficiente para hablar al respecto? La respuesta a las dos últimas preguntas es definitivamente sí.

Para citar a Spencer: "El conocimiento de categoría más baja es conocimiento no unificado; la ciencia es conocimiento parcialmente unificado; la filosofía es conocimiento completamente unificado".*

"Nos gusta pensar en términos del mañana. Pero el futuro se escribe con la pluma del presente y la tinta del pasado".

La filosofía *no* es el murmullo de epigramas, y un filósofo verdadero no es sólo alguien que puede citar al azar frases de diversas obras importantes.

Considera a un explorador que con demasiada frecuencia descuida su seguridad, y aun su vida, para dar un paso al frente y entrar a la oscuridad exterior, lanzando al aire su proyectil bengala para ver qué hay en lo desconocido. No tiene un vocabulario apropiado para escribir lo que encuentra porque las palabras todavía no se han inventado. No tiene instrumentos para medir lo que él cree que ve porque todavía no existen tales instrumentos. Él tropieza y cae, esforzándose continuamente por avanzar hacia fuera en su camino solitario, cada vez más lejos de los caminos con señales donde los enunciados son seguros y los sabios abundan. Está tan lejos que aquellos que están en sus hogares seguros y tibios de "pensamientos comprobados" no pueden reconocer la distancia que él ha recorrido cuando lo hace por primera vez.

Su trabajo es penetrar más profundamente en lo desconocido y los peligros que corre son los del ridículo. Él sabe, en lo profundo de su corazón, lo que es probable que sea su destino. Tal vez regrese con alguna idea brillante, sólo para encontrar que los hombres se ríen. Tal vez señale un camino que dentro de un siglo será una carretera, pero los hombres, teniendo poca visión, sólo ven una maraña de maleza y oscuridad en la lejanía, y se mueven con timidez, cuando el primero que lo hizo avanzó con tanto valor.

En todas las eras de la historia, los hombres pensantes han sido crucificados por las instituciones o por las masas. Pero esas mismas ideas, que al principio parecían tan locas e imposibles, son las que ahora usa la ciencia para mejorar su reputación.

Inevitablemente, el filósofo, el verdadero investigador es censurado. Pero eso es perfectamente natural. Su punto de vista es tan grande y penetrante que él puede unificar a todos los grupos de conocimiento, tomando sus descubrimientos para descubrir un común denominador subyacente.

Es completamente natural que él haga esto, como es natural que su trabajo sea rechazado y despreciado por su propia generación.

Todo animal o esclavo posee un conocimiento no unificado. "Una barra de jabón limpia una camisa". "Una barra de jabón limpia el piso". "Una barra de jabón limpia la cara".

Un conocimiento parcialmente unificado en el tema sería: "Una barra de jabón limpia" y "veamos cuántas cosas limpia una barra de jabón".

Un conocimiento completamente unificado en el tema sería: "Cualquier agente que mantenga una materia ajena en una solución limpiará".

* *Primeros Principios, p. 103*

Aquí el argumento es muy claro. Un conocimiento parcialmente unificado se ha convertido en un grupo de hombres todos ansiosos por acumular datos sobre la ciencia del jabón. El conocimiento completamente unificado abre un nuevo panorama, la posibilidad de descubrir algún medio que pueda limpiar cualquier cosa.

Y si piensas que esto es risible, debes saber que no hay un medio que pueda limpiarlo todo y lo limpie igual de bien. Sería esencialmente destructivo para un millón de volúmenes de datos sobre el jabón que se hayan conseguido con mucha dificultad. El filósofo se ha topado con una fuerza resistente. Redujo el tema a la simplicidad e indicó que era necesario buscar un nuevo limpiador, no un nuevo método. Si la idea se pusiera en práctica inmediatamente y tuviera éxito, destruiría, por ejemplo, los negocios de cientos de fábricas de jabón, y por supuesto, dejaría sin sus excelentes empleos a miles de químicos especialistas en jabón.

"La filosofía no es el murmullo de epigramas, y un filósofo verdadero no es sólo alguien que puede citar al azar frases de diversas obras importantes".

No hay nada que se use hoy en día sino las ideas que los filósofos dan al mundo. Por ejemplo, Spinoza es responsable por la mayoría de la psicología moderna. Platón escribió acerca del psicoanálisis en su *República* (además de la mayoría de nuestras ideas en el ámbito político). Anaximandro (610-540 A. C.) trazó nuestra teoría de la evolución y Empédocles (445 a. C.) la desarrolló hasta el punto al que hemos llegado, originando la selección natural. Demócrito dijo: "En realidad sólo hay átomos y el vacío" y siguió adelante para trazar las teorías de la evolución planetaria casi como se usan en la actualidad. Los griegos jónicos desarrollaron la mayor parte de la física actual. Kant dio los toques finales a nuestra psicología con Schopenhauer (una combinación extraña). Spencer a la evolución; Newton puso leyes naturales en las ecuaciones e inventó las matemáticas para trabajarlas. Spinoza llegó tan lejos en cuanto a entrar al reino de la oscuridad exterior que nadie lo ha alcanzado todavía, aunque se sigue avanzando por los senderos lenta e inexorablemente hacia los destinos que él indicó. Pero en cada caso, la ciencia simultáneamente enseñó y usó sistemas anticuados y consideró que había llegado a una frontera exterior, ¡cuando en realidad la ciencia siempre estuvo cientos de años detrás de la frontera de la filosofía!

En resumen, la ciencia tiene la tendencia poco sana de aislarse y expandir ese aislamiento, mientras que la filosofía tiende a alcanzar leyes generales o más elevadas. Si se le da a un científico una teoría (por ejemplo, la citología), él inmediatamente se pone a coleccionar, como por el impulso de la fuerza de gravedad, todos los hechos pertinentes a ese único tema. A los científicos hay que darles detalles. El científico hereda las teorías e instrumentos que ya han sido concebidos y él suaviza los puntos discordantes. Se desafía al filósofo porque no hace esto, pero como hemos señalado, él no tiene instrumentos, no tiene tablas, no cuenta con ayuda de ninguna índole que haya llegado hasta donde él ha avanzado.

De este modo, la ciencia tiende a agrupar cualquier tema y luego complicarlo. Las masas deben sus beneficios a la ciencia. La ciencia debe al filósofo toda su energía. El ciudadano, que no ve muy lejos, alaba lo que realmente merece alabanzas, pero no las merece totalmente, de manera que el científico puede reírse de las ideas filosóficas, que son precisamente lo que puso en sus manos el material con el que trabaja.

El hecho de que la ciencia en efecto intente convencer a otros de su importancia hasta el punto de decir que ella es el origen de las cosas, se refleja en la afirmación que comúnmente se escucha: "Ahora todo ya ha sido inventado, y si alguien desea fama, tiene que especializarse". Esa palabra, *especializarse,* es una advertencia de peligro para cualquier filósofo porque automáticamente indica que el conocimiento se está llevando a complejidades nefastas que, como él muy bien lo sabe, serán destruidas de la misma manera en que fueron demolidas todas las demás estructuras complicadas cuando se aisló una nueva verdad. Ahora bien, algo que indica la naturaleza esencial de la ciencia es que lucha incesantemente en su interior a favor de esta o aquella hipótesis como algo que se opone a otra hipótesis. Se puede decir con verdad que las batallas de la filosofía siempre las libra la ciencia contra la ciencia. La ciencia llega con sistemas de medición tomados de lo que ya se conoce, toma partido y empieza a disparar, sin siquiera inventar un sustituto o una nueva hipótesis propia y burlándose de cualquiera de estas que se le ofrezca. Tan porfiada es la ciencia que se aferra a los tomos de sus logros como un perro buldog. La extraña teoría de Tolomeo sobre esferas cristalinas se enseñó junto con el sistema revisado de Copérnico en las universidades más antiguas de Estados Unidos durante muchos años.

"Las masas deben sus beneficios a la ciencia. La ciencia debe al filósofo toda su energía".

Esto no es una diatriba en contra de la ciencia, es una defensa de las nuevas teorías, nuevas ideas, nuevos conceptos y de las personas que los crean. La risa burlona que se lanza contra los innovadores sólo es graciosa si se recuerda que anteriormente la ciencia también ridiculizó las ideas que ahora están en uso. Y uno sólo tiene que retroceder y ver esto con la perspectiva de los años para ver que la ciencia ha aceptado muchas cosas mucho más extrañas, como un hemisferio sobre cuatro elefantes, sobre una tortuga de fango, sobre fango, fango, fango. Sin lugar a dudas, en ese caso, había cientos de bibliotecas llenas de folletos que afirmaban que la tortuga de fango tenía ojos verdes contradiciendo la opinión de que sus ojos eran color púrpura. Al basar esto en las estrellas del horizonte y al examinarlas como idea que se había considerado minuciosamente, es posible que los científicos de la época fueran muy sabios dentro de la esfera de sus descubrimientos.

Pero existe tal cosa como la acumulación de conocimiento. Al imaginarse esto, la mayoría de los hombres van a abrumarse con grandes cantidades de información y libros. Bibliotecas repletas hasta el techo, laboratorios muy activos, hombres vociferando en salas de conferencias, hombres escribiendo vastos discursos sobre electrones y positrones... Pero no es necesario alarmarse. En el sótano se ha apilado una cantidad diez veces mayor de información, donde se enmohece en el olvido; era valioso hace tan sólo cincuenta años, pero ahora se ha descalificado al ser aceptadas científicamente generalizaciones más avanzadas. Cada vez que se llega a una generalización de más alto nivel, todos los hombres gritan: "¡Esto es lo MÁXIMO. El hombre no puede avanzar más!". Pero olvidan que en lugares silenciosos hay hombres observando a su alrededor, no a un objeto especial, sino a todos los objetos; entonces, cuando se da a conocer una verdad perfectamente simple, resulta impactante que siempre haya estado justo frente a las narices de todos.

Todo conocimiento se simplifica en la medida en que la conexión de Dios con el hombre y el Creador del Universo (El Primer Motor Inmóvil o lo que sea que Dios pudiera ser en realidad) recibe un impulso que la haga retroceder infinitamente, paso a paso.

Hace doscientos años (aunque probablemente ya se había descrito antes) la ciencia se habría sorprendido ante la idea de dividir el átomo. La ciencia en esa época trabajaba con átomos y moléculas, y con nada más pequeño. Hoy todos los niños de las escuelas saben que un átomo puede dividirse y reconstruirse dando forma a varias otras cosas. Dentro de cien años, los hombres echarán un vistazo retrospectivo a esta división del átomo y menearan la cabeza ante la estupidez de pensar que un electrón era la división más pequeña.

¿Pero cómo llegamos al punto donde podemos echar un vistazo retrospectivo? La respuesta la tenemos cerca. Lo importante no es quién presentará la teoría y el método para liberar la energía atómica. El hecho de que la posibilidad de hacerlo se haya citado con frecuencia y que constantemente se propongan diversos métodos, es el camino que llevará a ese logro. Y ni por un minuto hipnotizado supongas que el método nacerá en un laboratorio brillante, resplandeciente, subvencionado por millones de dólares. Al contrario. Primero será propuesto por un pensador. Tal vez después el laboratorio reclame todo el crédito, pero parece que eso no importa, mientras los hombres puedan entonces empezar a escribir sobre las matemáticas de la desintegración con la que llenarán diez mil bibliotecas.

Si esto no puede creerse, si no es posible aceptar que todas las verdades son verdades sencillas y sólo es necesario señalarlas, recordemos que dividir el átomo era una verdad sencilla. Entonces, si es preocupante que los únicos descubrimientos que queden serán complejos y que la especialización es de vital importancia, recuerda que el descubrimiento de la desintegración del átomo hará que se descarten todos los elegantes tomos (que llenan diez mil bibliotecas) sobre el tema de los motores de combustión interna y de las fuerzas motrices en general, como también los diseños existentes del casco, las ruedas y las alas de un avión. Lo único que quedará de estos maravillosos vuelos es la verdad esencial de la que nacieron.

El conocimiento no es un maremoto de información, sino una larga fila de verdades simples, cada una más simple que la anterior. Si uno llegara al siguiente descubrimiento, que no sea en un campo especializado, sino preferiblemente en una combinación entre dos o más campos. Y como un hombre no puede especializarse en media docena de campos, sus investigaciones tendrían que ser totalmente independientes de cualquier punto de vista limitado. El desintegrador de átomos podría aparecer entre la botánica y la física. ¿Quién podría imaginar algo así? Pero desde hace tiempo, la fuente de energía más novedosa es la hoja de un árbol.

¿Lo habría descubierto un físico interesado solamente en física? Es muy poco probable. Él tendría que estar más interesado en todo el mundo a su alrededor que en la mesa de trabajo de su laboratorio. Por extraño que parezca, los hombres que han aislado las mayores verdades por lo general no han sido lo que se conoce como "hombres cultos". Pero sí hombres que han leído mucho. Inteligentes, por supuesto. Pero sobre todo, ansiosos de adentrarse en cualquier cosa y en todo aquello donde ni siquiera el diablo se atrevería a meterse.

La sed de la aventura al interior de lo abstracto es la fuerza que motiva a toda la juventud. Después, abrumada con amonestaciones de que debe especializarse, la juventud sucumbe ante la atracción de la seguridad y se olvida de aquellas cosas que quería planear, por la avidez de leer todo lo que jamás se haya dicho sobre el tema de cortarle las uñas de las patas a las ranas.

"El conocimiento no es un maremoto de información, sino una larga fila de verdades simples, cada una más simple que la anterior".

Para ser muy específico, hoy en día los científicos se burlan de las ideas descabelladas de viajes interplanetarios, diciendo: "Bueeeno, sííí, quizás pueda hacerse... tal vez. Pero...........". Con todo el respeto que merecen, el científico tiene toda la razón. Él tiene cierto trabajo que hacer. Probablemente esté muerto mucho antes de que el hombre llegue a poner los pies sobre la Luna por primera vez. Pero para que el sueño, cualquier sueño descabellado, pueda lograrse, sólo es necesario verificar el origen de la mayoría de nuestras maravillas mecánicas de hoy. ¿Submarino? ¿Locomotora? ¿Avión? ¿Aeronaves que vuelan en la estratosfera? ¿Máquina de escribir? ¿Señales de tránsito? Analiza lo que quieras y donde quieras, descubrirás la "ciencia ficción" o un hombre interesado en ella.

Los filósofos de las grandes ideas generales están solos, por supuesto, en una clase especial. Pero en lo relacionado con los usos avanzados de varios métodos y ciencias híbridas, en lo relacionado con la predicción de nuestra civilización y, en realidad, de nuestra propia arquitectura del porvenir, sólo es necesario revisar los archivos.

Quizás los hombres han estado escribiendo "ciencia ficción" desde la época de los fenicios. Al menos el primer cuento se escribió poco después de que se inventara la escritura. En el pasado, la "pseudo-ciencia" mandó un hombre al oeste en un caballo de hierro para pelear contra los indios (lo cual realmente no ocurrió sino hasta después de muchos, muchos años), ahora manda a los hombres a las galaxias lejanas.

Entre los científicos de hoy hay muchos renegados, no del todo filósofos, pero aun así intrigados por las ideas que pueden surgir.

Mirando las profundidades nebulosas del pasado, uno puede ver una gran cantidad de ideas "tontas" que han sido productivas. Mirando hacia adelante al futuro, uno puede ver.........

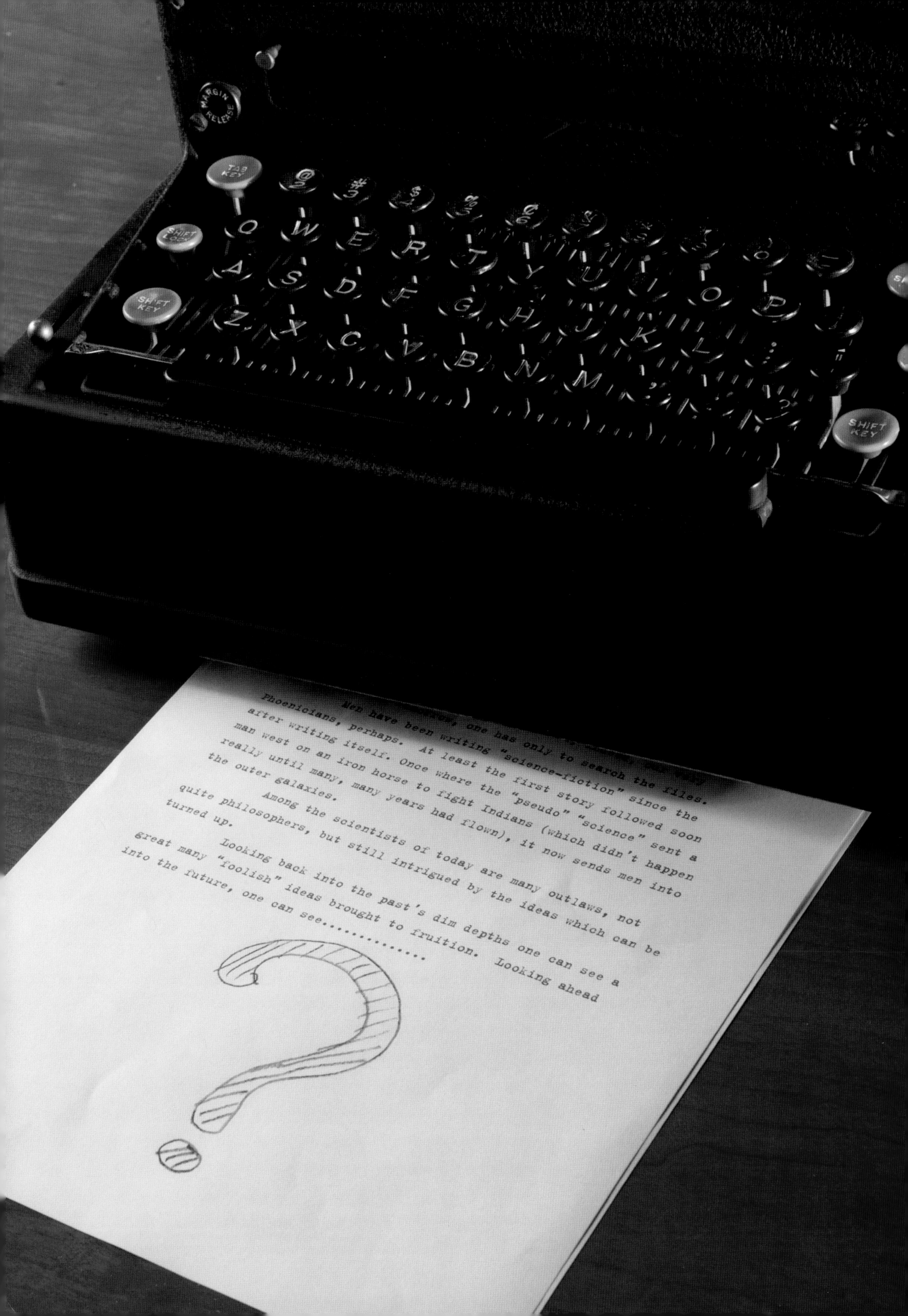
MARGIN RELEASE
TAB KEY
SHIFT LOCK
SHIFT KEY
SHIFT KEY
Q W E R T Y U I O P
A S D F G H J K L
Z X C V B N M
one has only to search the files.
Men have been writing "science-fiction" since the
Phoenicians, perhaps. At least the first story followed soon
after writing itself. Once where the "pseudo" "science" sent a
man west on an iron horse to fight Indians (which didn't happen
really until many, many years had flown), it now sends men into
the outer galaxies.
Among the scientists of today are many outlaws, not
quite philosophers, but still intrigued by the ideas which can be
turned up.
Looking back into the past's dim depths one can see a
great many "foolish" ideas brought to fruition. Looking ahead
into the future, one can see.............

CAPÍTULO DOS

El Nacimiento DE DIANÉTICA

El Nacimiento de Dianética

Durante seis años intermitentes después de 1938, Ronald continuó su investigación de Sobrevive para determinar eficazmente si había más que se pudiera derivar, extrapolar o discernir. De especial mención en esta trayectoria fue su expedición de 1940 a tierras indígenas de la costa Noroeste frente a la Columbia Británica, y su investigación de la mitología como medio de supervivencia cultural; es decir, el mito como medio para perpetuar la identidad tribal. También había llegado a sentirse verdaderamente fascinado con aquellos mitos cuyas raíces parecían haber surgido de hechos reales; por ejemplo, el mito casi universal del diluvio, inspirado, aunque sea discutible, en vagos recuerdos del final de la última era glaciar. Pero principalmente, y en particular con la llegada de la Segunda Guerra Mundial, hace hincapié en la viabilidad. Es decir, ¿qué podría tomarse, para su uso como terapia viable, a partir de Sobrevive?

Elizabeth, Nueva Jersey, 1950

La respuesta fue, desde luego, Dianética, pero la ruta fue tortuosa y finalmente condujo a través de muchísimo más: un examen exhaustivo de toda la teoría psicoanalítica, una revisión extensa de las teorías de la neurología de esa época, un estudio celular adicional y una serie de pruebas extraordinarias sobre los vínculos existentes entre la hipnosis y la falta de cordura. Sin embargo, si sólo repasamos los hechos más significativos, entonces nuestro siguiente paso se encuentra en el pabellón de recuperación del Hospital Naval de Oak Knoll, donde el entonces teniente L. Ronald Hubbard pasó más de ocho meses a lo largo de 1945.

El tema que estaba en juego, específicamente, era el destino de quince ex prisioneros de los campos de internamiento japoneses, quienes después de casi morir de hambre en el transcurso del confinamiento,

"Dianética es una ciencia exacta y su aplicación
es del orden de la ingeniería, pero más fácil.
Sus axiomas no se deberían confundir con teorías
ya que se puede demostrar que existen como
leyes naturales como leyes naturales
nunca antes descubiertas".

se encontró que no podían asimilar proteínas. Aún bajo un tratamiento intensivo de testosterona, que generalmente había sido eficaz en miles de casos de ese tipo; estos quince desafortunados continuaron, en general, a punto de morir de inanición. En respuesta, y después de un extenso examen del vínculo endocrinológico con la asimilación de la proteína, L. Ronald Hubbard propuso una teoría crucial: "Si la mente rigiera al cuerpo y el cuerpo no rigiera a la mente", explicó, "entonces, el sistema endocrino no respondería a hormonas si existiera un bloqueo mental". A partir de ahí, procedió con la primera aplicación formal de las tempranas técnicas de Dianética, y así literalmente salvó la vida de esos quince ex prisioneros. Y también derivó una formulación que marcó un hito: específicamente, que el pensamiento tenía precedencia sobre lo físico... O cómo él tan famosamente lo expresó: "La función rige la estructura".

Aquí se presenta lo que finalmente siguió a la revelación central en Oak Knoll: *Dianética: La Ciencia Moderna de la Salud Mental* y en particular, la sinopsis inicial de esa obra como originalmente se proporcionó a amigos y colegas antes de la publicación del libro. En resumen, este fue el escrito a través del cual Ronald originalmente presentó Dianética a aquellos que simplemente no podían esperar a tener el libro en sus manos. Es decir:

"Si yo tuviera tiempo para respirar, lo habría usado para saludar en persona. Pero no lo tengo. La sinopsis adjunta les dirá por qué".

Este es también el escrito con que él originalmente creó un torbellino de Dianética entre los intelectuales estadounidenses. De ahí, su breve pero reveladora nota al grupo de escritores de *Astounding* en el sur de California:

"¡Esta sinopsis hace de ustedes la autoridad en la costa oeste!".

El que Ronald específicamente dirigiera la atención de sus lectores a los importantes antecedentes filosóficos entretejidos en la obra es significativo. Pues aunque sólo se menciona brevemente y de hecho está altamente destilado, aquí está en realidad la esencia de lo que él describió como una filosofía de Dianética que "resuelve muchos más enigmas que enfermedades y dificultades mentales". ■

La casa de Ronald frente al mar en Bay Head, Nueva Jersey: donde nació *Dianética: La Ciencia Moderna de la Salud Mental*

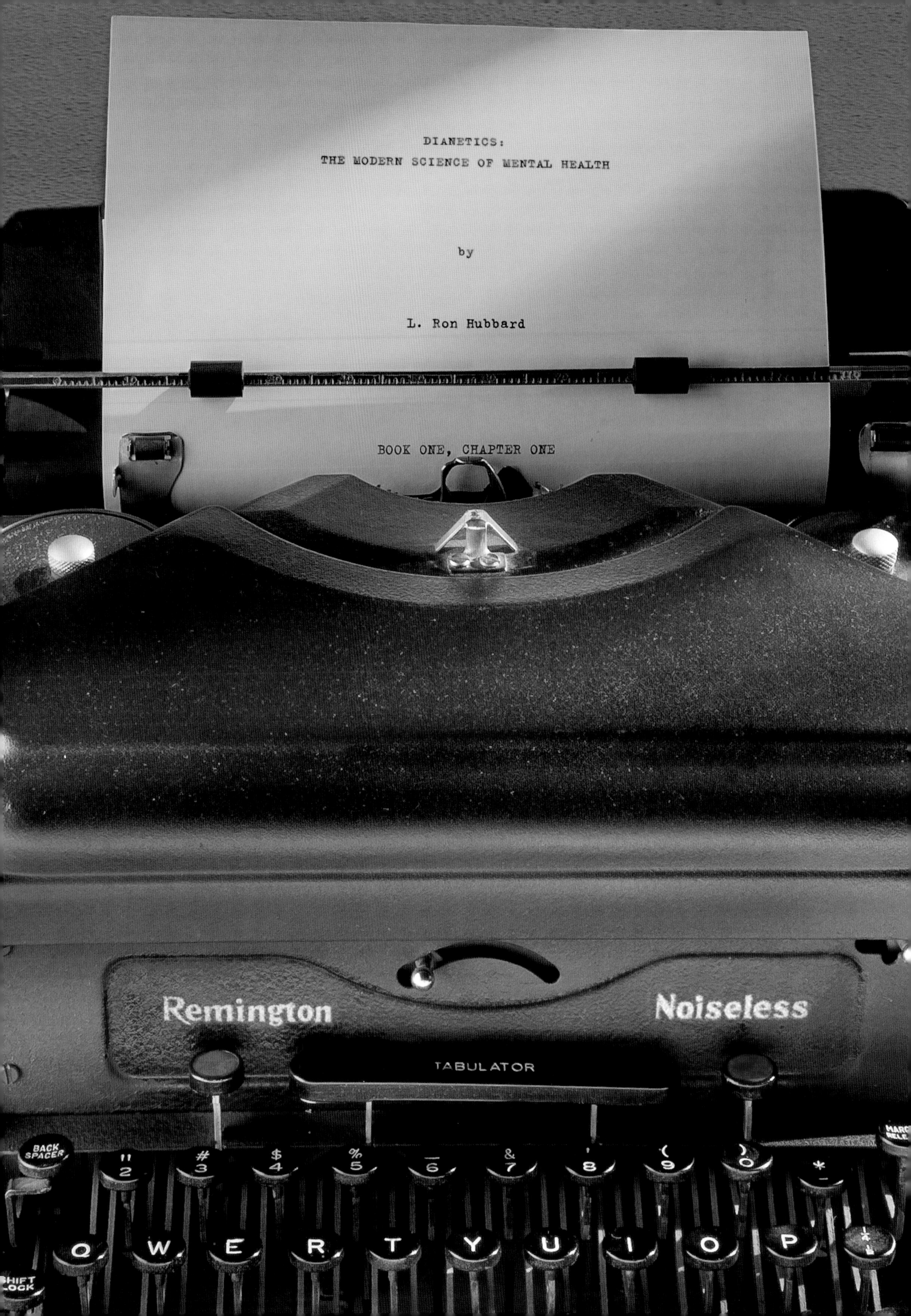

DIANETICS:

THE MODERN SCIENCE OF MENTAL HEALTH

by

L. Ron Hubbard

BOOK ONE, CHAPTER ONE

UNA SINOPSIS DE DIANÉTICA

se L. Ronald Hubbard

Dianética (del griego *dia,* a través, y *nous,* mente o alma) es la ciencia de la mente. Mucho más fácil que la física o la química, se puede comparar con ellas por la exactitud de sus axiomas, pero está a un nivel considerablemente más alto en términos de utilidad. *La fuente oculta de todas las enfermedades psicosomáticas y la aberración humana ha sido descubierta y a partir de eso técnicas se han desarrollado para una cura invariable.*

Dianética es en realidad una familia de ciencias que toma las diferentes humanidades y las transforma en definiciones exactas que se pueden usar. Este libro trata con la Dianética para el Individuo y es un manual que contiene las técnicas necesarias para el manejo de las relaciones interpersonales y para el tratamiento de la mente. Con las técnicas que presenta este manual, el laico inteligente puede tratar con éxito todas las enfermedades psicosomáticas y las aberraciones inorgánicas. Más importante, las prácticas que ofrece este manual producirán un *Clear* de Dianética, un individuo óptimo con una inteligencia considerablemente mayor que la de la norma, o el *Liberado* de Dianética, un individuo a quién se le ha liberado de sus mayores ansiedades o enfermedades. Se puede hacer a un Liberado en menos de veinte horas de trabajo, un estado superior a cualquiera producido por años de psicoanálisis, ya que el Liberado no reincidirá.

Dianética es una ciencia exacta y su aplicación es del orden de la ingeniería, pero más fácil. Sus axiomas no se deberían confundir con teorías ya que se puede demostrar que existen como leyes naturales nunca antes descubiertas. El hombre ha conocido muchas partes de Dianética en los últimos miles de años, pero los datos no se evaluaron según su importancia y así no se organizaron en un cuerpo de conocimiento exacto. Además de las cosas conocidas aunque sin evaluación, Dianética incluye un gran número de nuevos descubrimientos propios sobre el pensamiento y la mente.

Los axiomas se pueden encontrar al final de este libro.* Entendidos y aplicados, estos abarcan el campo del esfuerzo y pensamiento humanos y producen resultados concretos.

La primera contribución de Dianética es el descubrimiento de que los problemas del pensamiento y la función mental se pueden resolver dentro de los límites del universo finito, lo que significa que todos los datos necesarios para la solución

Abajo
La insignia original de Dianética

* *En referencia a Dianética: La Ciencia Moderna de la Salud Mental, donde aparece esta sinopsis.*

de las acciones mentales y los esfuerzos del hombre se pueden medir, sentir y experimentar como verdades científicas independientes del misticismo o la metafísica. Los diferentes axiomas no son asunciones o teorías, (que era el caso de ideas pasadas sobre la mente), sino que son leyes que pueden estar sujetas a las pruebas clínicas y de laboratorio más rigurosas.

La primera ley de Dianética es una declaración sobre el Principio Dinámico de la Existencia.

EL PRINCIPIO DINÁMICO DE LA EXISTENCIA ES: ¡SOBREVIVE!

No se ha encontrado ningún comportamiento o actividad que exista sin este principio. No es nuevo que la vida esté sobreviviendo. Sí es nuevo que la totalidad del impulso dinámico de la vida sea *únicamente* la supervivencia.

La supervivencia se divide en cuatro dinámicas. Se puede llegar a entender que la supervivencia se encuentra en cualquiera de las dinámicas y mediante una lógica imperfecta se pueden explicar en términos de cualquiera de las dinámicas individuales. Se puede decir que un hombre sobrevive sólo para sí mismo y a partir de ahí se puede formular todo el comportamiento. Se puede decir que sobrevive sólo por el sexo y mediante el sexo sólo se puede formular todo el comportamiento. Se puede decir que sobrevive sólo por el grupo o sólo por la Humanidad, y en cualquiera de los dos, todo el esfuerzo y comportamiento del individuo se puede equiparar y explicar. Existen cuatro ecuaciones en la supervivencia, cada una de ellas es al parecer cierta. Sin embargo, todo el problema acerca del propósito del hombre no se puede resolver a menos que uno admita las cuatro dinámicas en su totalidad en cada individuo. Una vez equiparadas, el comportamiento del individuo se puede estimar con exactitud. Estas dinámicas, por lo tanto, abarcan la actividad de uno o más hombres.

PRIMERA DINÁMICA: El impulso del individuo por alcanzar el potencial más alto de supervivencia en términos de *sí mismo* y sus simbiontes más cercanos.

SEGUNDA DINÁMICA: El impulso del individuo por alcanzar el potencial más alto de supervivencia en términos de *sexo,* el acto y la creación de los niños y su cría.

TERCERA DINÁMICA: El impulso del individuo por alcanzar el potencial más alto de supervivencia en términos de *grupo,* ya sea civil, político o racial y los simbiontes de ese grupo.

CUARTA DINÁMICA: El impulso del individuo por alcanzar el potencial más alto de supervivencia en términos de la *Humanidad* y los simbiontes de la Humanidad.

Motivado en esta forma, el individuo o la sociedad busca la supervivencia y ninguna otra actividad humana de ningún tipo tiene otra base: experimentos, investigación y muchas pruebas demostraron que un *individuo no aberrado,* el Clear, estaba motivado en sus acciones y decisiones por *todas* las dinámicas arriba mencionadas y no sólo por una.

El Clear, la meta de la terapia de Dianética, se puede crear en un psicótico, neurótico, trastornado, criminal o en gente normal, si tienen un buen sistema nervioso orgánicamente. Este demuestra la naturaleza básica de la Humanidad y se ha encontrado uniformemente e invariablemente que esa naturaleza básica es *buena.* Eso es ahora un *hecho científico* establecido, no una opinión.

El Clear ha alcanzado un estado estable en un nivel muy alto. Es persistente y vigoroso y prosigue en la vida con entusiasmo y satisfacción. Está motivado por las cuatro dinámicas mencionadas arriba. Ha alcanzado el poder y el uso totales de capacidades hasta ahora ocultas.

La inhibición de una o más dinámicas en un individuo crea una condición aberrada, tiende a un desarreglo mental, a enfermedades psicosomáticas y hace que el individuo llegue a conclusiones irracionales y actúe, aún en un intento por sobrevivir, en formas destructivas.

La técnica de Dianética erradica, sin drogas, hipnotismo, cirugía, choque o cualquier otro medio artificial, las barreras en estas diferentes dinámicas. La erradicación de estas barreras permite liberar el flujo en estas diferentes dinámicas y por supuesto, esto resulta en una mayor persistencia en la vida y una inteligencia mucho mayor.

La exactitud de Dianética hace posible impedir o liberar estas dinámicas a voluntad con resultados invariables.

La fuente oculta de todas las perturbaciones mentales inorgánicas y enfermedades psicosomáticas es uno de los descubrimientos de Dianética. Esta fuente ha sido desconocida e insospechada, aunque buscada vigorosamente por miles de años. Que la fuente descubierta *es* la fuente requiere menos pruebas de laboratorio de las que hubiesen sido necesarias para probar lo correcto de los descubrimientos de William Harvey sobre la circulación de la sangre. La prueba no depende de un test de laboratorio con aparatos complicados, sino que la puede hacer cualquier individuo inteligente en cualquier grupo de hombres.

"La fuente oculta de todas las perturbaciones mentales inorgánicas y enfermedades psicosomáticas es uno de los descubrimientos de Dianética. Esta fuente ha sido desconocida e insospechada, aunque buscada vigorosamente por miles de años".

Se ha descubierto que la *fuente de la aberración* es una submente, insospechada hasta ahora, que llena de sus propias grabaciones, está por debajo de lo que el hombre considera como su "mente consciente". El concepto de la mente inconsciente se sustituye en Dianética por el descubrimiento de que la mente "inconsciente" es la *única* mente que *siempre* está consciente. En Dianética, esta submente se denomina *mente reactiva.* La mente reactiva, que es un remanente de un paso anterior en la evolución del hombre, posee vigor y poder de mando a nivel celular. No "recuerda", sino que graba y utiliza las grabaciones sólo para producir acción. No "piensa", sino que selecciona grabaciones y las repercute contra la mente "consciente" y el cuerpo sin el consentimiento o conocimiento del individuo. La única información que el individuo tiene de tal acción es su esporádica percepción de que no está actuando de forma racional sobre una u otra cosa y no puede entender por qué. No hay "censor".

La mente reactiva funciona exclusivamente en base al dolor físico y emoción dolorosa. No es capaz de tener pensamiento que diferencie, sino que actúa con un mecanismo de estímulo-respuesta. Este es el principio con el que funciona la mente animal. No recibe sus grabaciones como memoria o experiencia, sino sólo como fuerzas a ser reactivadas. Recibe sus grabaciones como *engramas* celulares cuando la mente "consciente" está "inconsciente".

Estando bajo el efecto de drogas, como cuando está anestesiado en una operación, cuando cae en "inconsciencia" a causa de una lesión o enfermedad, el individuo aún así tiene su mente reactiva funcionando por completo. Quizá no esté "consciente" de lo que ocurrió, pero, como Dianética lo ha descubierto y lo puede probar, todo lo que le ocurrió en el intervalo de esa "inconsciencia" se grabó por completo. Su mente

Dianética: Un estudio de la mente, el "movimiento"

MIÉRCOLES 6 DE SEPTIEMBRE DE 1950 DAILY NEWS, LOS ÁNGELES, 2

L. RONALD HUBBARD RÍE ESPONTÁNEAMENTE
Porque "Dianética no es una aventura solemne".

ÉL EXPLICA, NO DEFIENDE
"Una ciencia de la mente era una meta... del hombre"

Arriba
El autor de Dianética como se presentó en una serie de seis partes publicada por el Daily News de Los Ángeles en septiembre de 1950

consciente no capta esta información; tampoco la evalúa ni la razona. Puede, en cualquier fecha futura, activarse por circunstancias similares que observa el individuo estando despierto y consciente. Cuando una grabación de este tipo, un engrama, se reactiva, adquiere poder de mando. Suspende la mente consciente en un grado menor o mayor, toma posesión de los controles motores del cuerpo y causa un comportamiento y acción que la mente consciente, el individuo mismo, nunca consentiría. Él está, sin embargo, controlado por sus engramas como una marioneta.

En esa forma, las fuerzas antagónicas del entorno exterior se introducen en el individuo mismo sin su conocimiento o consentimiento. Y ahí crean un mundo interior de fuerza que influye no sólo al mundo exterior del individuo, sino que se vuelve en contra del individuo mismo. La causa de la aberración es lo que se le ha hecho *al* individuo, no lo que el individuo *ha* hecho.

Sin querer, el hombre ha estado ayudado a la mente reactiva desde hace mucho tiempo mediante la suposición de que una persona cuando estaba "inconsciente" por las drogas, enfermedades, lesiones o anestésicos, no tenía la capacidad de grabar. Esto permite la entrada de una gran cantidad de datos en el

de crecimiento más rápido en Estados Unidos

TODA LA VIDA ERA FASCINANTE
"Empecé a pensar de los hombres como unidades básicas"

LA INVESTIGACIÓN ERA SU INSTRUMENTO
"Sabía lo que eran los principios pero..."

banco reactivo, ya que nadie ha tenido el cuidado de guardar silencio cerca de una persona "inconsciente". La invención del idioma y la entrada del idioma en el banco de engramas de la mente reactiva, complicó seriamente las reacciones mecánicas. Los engramas que contienen lenguaje repercuten en la mente consciente como órdenes. Los engramas entonces contienen un valor de mando mucho más grande que cualquiera en el mundo exterior. El pensamiento está dirigido y motivado por los engramas irracionales. Los procesos de pensamiento se perturban no sólo por estas órdenes engrámicas sino también por el hecho de que la mente reactiva reduce, a base de regenerar la inconsciencia, la capacidad real para pensar. Debido a esto, muy poca gente posee más del 10 por ciento de su potencial de consciencia.

Todo el dolor físico y emoción dolorosa de toda una vida, ya sea que el individuo lo "sepa" o no, está contenido, grabado, en el banco de engramas. Nada se olvida. Y todo el dolor físico y la emoción dolorosa, sin importar como crea el individuo que lo ha manejado, es capaz de infligirse de nuevo en el individuo desde este nivel oculto a menos que el dolor se erradique con la terapia de Dianética.

El engrama y sólo el engrama causa aberración y enfermedades psicosomáticas.

La terapia de Dianética se puede exponer brevemente. Dianética erradica todo el dolor de una vida. Cuando este dolor se ha borrado del banco de engramas y se ha archivado como memoria y experiencia en los bancos de memoria, todas las aberraciones y enfermedades psicosomáticas se desvanecen, las dinámicas se rehabilitan por completo y el ser físico y mental se regenera. Dianética le deja al individuo la memoria completa, pero sin dolor. Extensas pruebas han demostrado que el dolor oculto no es necesario, sino que es invariablemente y *siempre* un impedimento para la salud, la capacidad, felicidad y el potencial de supervivencia del individuo. *No* tiene valor de supervivencia.

"La totalidad y profusión de los datos en los bancos estándar es un descubrimiento de Dianética, y el significado de tales recuerdos es también otro descubrimiento".

El método que se usa para re-archivar el dolor es otro descubrimiento. El hombre ha poseído, sin saberlo, otro proceso para recordar del cual no estaba consciente. Aquí y allá unos cuantos han sabido al respecto y lo han usado sin darse cuenta de lo que estaban haciendo o de que estaban haciendo algo que el hombre no sabía que se podía hacer. Este proceso es el *retorno.* Despierto y sin drogas, un individuo puede *regresar* a cualquier periodo en su vida siempre y cuando su paso no esté bloqueado por engramas. Dianética desarrolló técnicas para eludir estos bloqueos y reducirlos del estatus de algo Desconocido y con Poder a memoria útil.

La técnica de terapia se hace en lo que se llama reverie de *Dianética.* El individuo que pasa a través de este proceso se sienta en una habitación tranquila acompañado de un amigo o terapeuta profesional que actúa como *auditor.* El auditor dirige la atención del paciente al ser del paciente mismo y luego empieza a poner al paciente en diferentes periodos de su vida simplemente diciéndole que "vaya allá" en vez de que "recuerde".

Toda la terapia se hace, no mediante el recuerdo o la asociación, sino a base de viajar en la *línea temporal.* Cada ser humano tiene una línea temporal. Comienza con la vida y termina con la muerte. Es una secuencia de eventos completa de portal a portal, tal como se grabó.

En Dianética, a la mente consciente se le denomina con el término *mente analítica*, que es en cierta medida más exacto. La mente analítica consiste del "yo" (el centro de consciencia), toda la capacidad de computar del individuo y los bancos de memoria estándar, los cuales están llenos de todas las percepciones pasadas del individuo, despierto o normalmente dormido (todo el material que no es engrámico). No falta ningún dato en estos bancos estándar, todo está ahí, aunque los defectos físicos orgánicos podrían impedir el acceso a ellos, con todo su movimiento, color, sonido, tacto, olfato y otros sentidos. Quizás el "yo" no sea capaz de alcanzar sus bancos estándar porque la información reactiva bloquea porciones de estos bancos impidiendo que el "yo" los vea. Cuando se le lleva a Clear, el "yo" es capaz de alcanzar todos los momentos de su vida sin esfuerzo o incomodidad y percibir todo lo que alguna vez haya captado a través de los sentidos, recordándolo con todo su movimiento, color, sonido, tono y otros sentidos. La totalidad y profusión de los datos en los bancos estándar es un descubrimiento de Dianética, y el significado de tales recuerdos es también otro descubrimiento.

El auditor dirige el viaje del "yo" por toda la línea temporal del paciente. El paciente sabe todo lo que está ocurriendo, está en control absoluto de sí mismo y es capaz de volver a tiempo presente cada vez que quiera. No se usa hipnotismo ni cualquier otro medio de persuasión. Puede que el hombre no supiera que podía hacer esto pero es fácil.

El auditor, con métodos de precisión, recupera datos desde los primeros momentos de "inconsciencia" de la vida del paciente, se entiende que tal "inconsciencia" fue causada por choque o por dolor, no simplemente por desconocimiento. El paciente, por lo tanto, contacta los engramas que están a nivel celular. Habiendo vuelto a ellos y pasando a través de ellos con la ayuda del auditor, el paciente reexperimenta estos momentos unas cuantas veces, entonces se borran y se guardan una vez más de forma automática como memoria estándar. Lo que finalmente descubren el auditor y el paciente es que todo el incidente se ha desvanecido y ya no existe. Si buscaran cuidadosamente en los bancos estándar, lo encontrarían una vez más, pero archivado como "antes fue aberrativo, no permitir que entre como tal en la computadora". Las áreas más recientes de "inconsciencia" son impenetrables hasta que las más tempranas se borran.

La cantidad de molestia que el paciente experimenta es menor. Lo que lo repele son principalmente órdenes engrámicas que de diferentes formas dictan la emoción y la reacción.

En un *Liberado,* el caso no ha progresado al punto de una memoria completa. En un *Clear,* toda memoria de toda una vida está presente, con la bonificación adicional de que tiene memoria fotográfica en color, movimiento, sonido, etc., y también una capacidad óptima para computar.

Las enfermedades psicosomáticas del *Liberado* se reducen, normalmente, a un nivel donde no le molestan más. En un *Clear,* las enfermedades psicosomáticas se vuelven inexistentes y no volverán, ya que su fuente real se ha nulificado permanentemente.

El *Liberado* de Dianética es comparable a una persona considerada normal o está por encima de ella. El *Clear* de Dianética se compara con un individuo actual normal en la misma forma en que un individuo actual normal se compara con el severamente demente.

Dianética dilucida varios problemas con sus muchos descubrimientos, sus axiomas, su organización y su técnica. En el progreso de su desarrollo, muchos datos asombrosos se interpusieron, ya que cuando uno trata con las leyes naturales y con realidades que se pueden medir y que producen resultados específicos e invariables, debe aceptar lo que la Naturaleza conlleva, no lo que es placentero o deseado. Cuando uno trata con hechos más que con teorías y observa por primera vez los mecanismos de la acción humana, algunas cosas le confunden, como los latidos del corazón confundieron a Harvey o las acciones de la levadura confundieron a Pasteur. La sangre no circulaba porque Harvey lo dijo, tampoco porque dijo que lo hacía. Circulaba y estuvo circulando por eones. Harvey era inteligente y fue lo suficientemente observador para descubrirlo, y esto fue en gran medida el caso con Pasteur y otros exploradores de lo que hasta ahora ha sido desconocido o no se ha confirmado.

En Dianética, el hecho de que la mente analítica era inherentemente *perfecta* y seguía siendo estructuralmente capaz de restauración hasta su total funcionamiento, no fue lo menos importante de los datos que se encontraron. Que el hombre era bueno, como lo estableció la investigación exacta, no fue una gran sorpresa. Pero que un individuo sintiera una vigorosa aversión por el mal y aún así obtuviera una fortaleza enorme, era asombroso, ya que durante mucho tiempo se había supuesto erróneamente que la aberración era la raíz de la fortaleza y la ambición, de acuerdo a las autoridades desde la época de Platón. El que un hombre contara con un mecanismo que grabara con una precisión diabólica cuando él estaba "inconsciente" según la observación y según las pruebas realizadas, fue algo sorprendente y digno de un titular de periódico.

Para el laico, la relación entre la vida prenatal y la función mental no se ha pasado por alto totalmente, ya que a lo largo de incontables siglos la gente se ha preocupado por la "influencia prenatal". Para el psiquiatra, el psicólogo y el psicoanalista, la memoria prenatal había sido un hecho aceptado desde tiempo atrás, porque se acordó que los "recuerdos en la matriz" influenciaban la mente adulta. Pero el aspecto prenatal de la mente llegó como una sorpresa total para Dianética: una sorpresa no deseada y, en aquel entonces, una observación que no fue bien recibida. A pesar de las creencias existentes, que no son hechos científicos, de que el feto tenía memoria, el psiquiatra y otros trabajadores también creían que la memoria no podía existir en un ser humano hasta que el revestimiento de mielina se hubiese formado en los nervios. Esto fue confuso para Dianética como lo era para la psiquiatría. Después de mucho trabajo a lo largo de varios años, Dianética estableció con precisión la influencia exacta de la vida prenatal en la mente más tardía.

Habrá quienes, careciendo de información, digan que Dianética "acepta y cree en" la memoria prenatal. Completamente aparte del hecho de que una ciencia exacta no "cree", sino que establece hechos y los prueba, Dianética hace hincapié en que *no* cree en la memoria prenatal. Dianética tuvo que invadir la citología y la biología para formar muchas conclusiones mediante la investigación; tuvo que ubicar y establecer la mente reactiva y el banco de engramas oculto nunca antes conocido, antes de que aparecieran los problemas "prenatales". Se había descubierto que la grabación de engramas posiblemente se hacía a nivel celular, y que el banco de engramas se hallaba en las células. Se descubrió entonces que las células, reproduciéndose de una generación a la siguiente, en el mismo organismo, aparentemente llevaban consigo sus propios bancos de memoria. Las células son el primer nivel de la estructura, los ladrillos básicos de la construcción. Ellas construyeron la mente analítica. Ellas dirigen, como un látigo, la mente reactiva. Donde se tengan células humanas, se tienen engramas potenciales. Las células humanas empiezan en el cigoto, siguen su desarrollo en el embrión, se convierten en el feto y finalmente en el bebé. Cada nivel de este crecimiento es capaz de reacción. Cada nivel en el crecimiento de la colonia de células es capaz de grabar engramas. En Dianética, la memoria prenatal no se toma en cuenta, ya que los bancos estándar, que algún día servirán al analizador ya terminado del bebé, el niño y el hombre, no están ellos mismos terminados. No hay "memoria" ni "experiencia" antes de que los nervios se hayan cubierto, en lo que a la terapia de Dianética respecta. Pero la terapia de Dianética tiene que ver con *engramas* no con recuerdos; tiene que ver con *grabaciones* no con experiencia. Y donde haya células humanas, los engramas son demostrablemente posibles, y donde el dolor físico haya estado presente, se podría demostrar la creación de engramas.

El engrama es una grabación como las líneas de un disco fonográfico; es una grabación completa de todo lo que ocurrió durante un periodo de dolor. Dianética puede ubicar, con sus técnicas, cualquier engrama que las células hayan escondido, y en la terapia, a menudo el paciente descubre que está en la línea temporal celular prenatal. Ahí localizará engramas y sólo va ahí porque ahí existen engramas. El nacimiento es un engrama que se recupera con Dianética *como una grabación,* no como una *memoria.* Al retornar y con la extensión celular de la línea temporal, se puede recuperar la acumulación de dolor del cigoto, y de hecho se recupera. *No* es memoria. Repercute en la mente analítica y obstruye los bancos estándar donde se almacena la memoria. Esto es muy diferente de la memoria prenatal. Dianética recupera *engramas prenatales* y encuentra que son responsables de mucha aberración, y descubre que el deseo de estar en el vientre no está presente en ningún paciente, pero que a veces los engramas ordenan que vuelva al vientre, como en algunos casos de psicosis regresiva que intentan reconstruir el cuerpo haciendo que vuelva a ser como un feto.

Esta cuestión de la vida prenatal se discute a profundidad aquí en esta sinopsis para darle al lector una perspectiva sobre el tema. Estamos tratando aquí con una ciencia exacta, con axiomas de precisión y con nuevas destrezas de aplicación. Con esto logramos dominar la aberración y los males psicosomáticos. Y con ello damos un paso evolutivo en el desarrollo del hombre que lo coloca en otro nivel por encima de sus hermanos distantes del reino animal. Ronald

Una primera edición de lo que los lectores de 1950 llamaron *¡El Libro!*

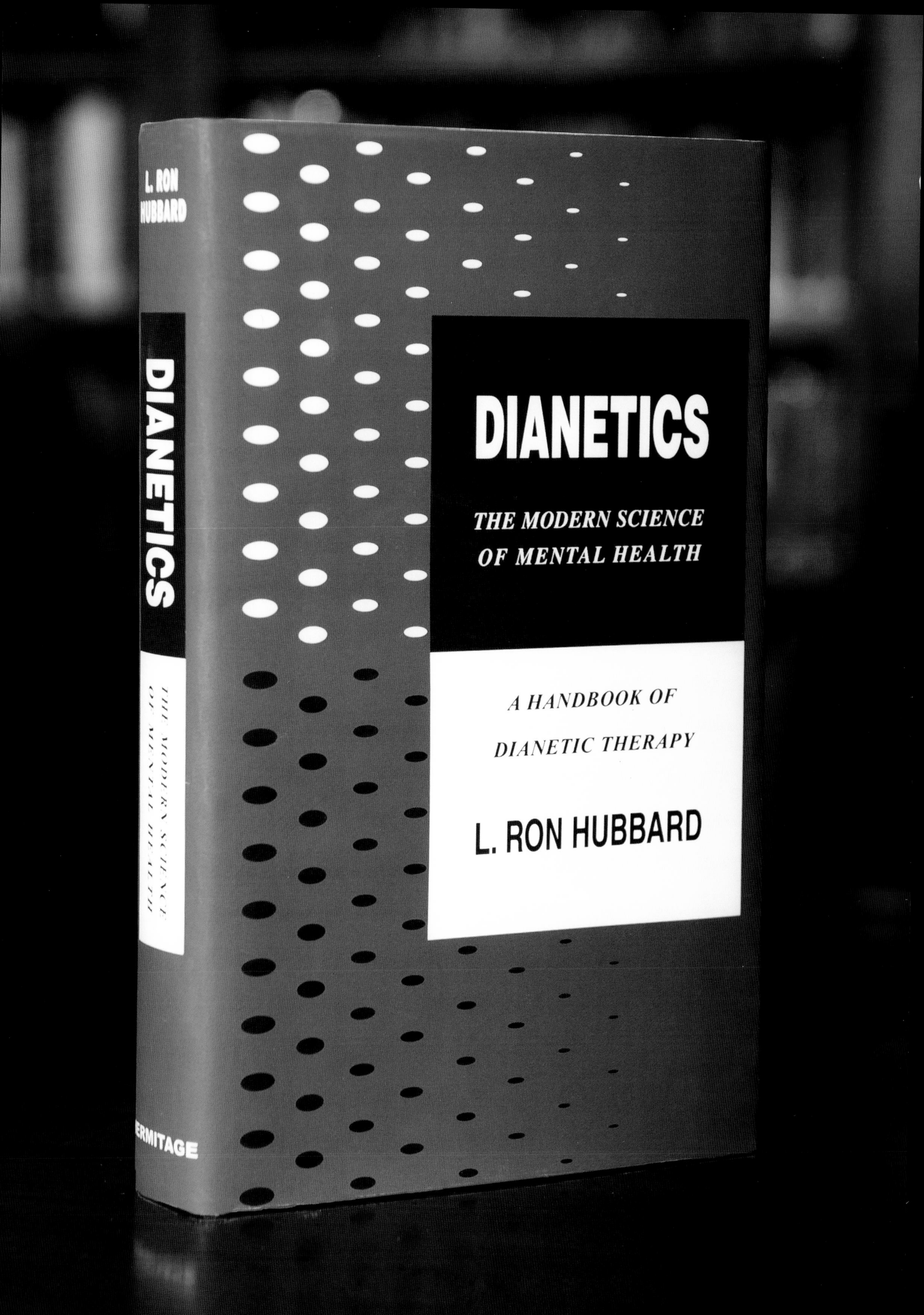

DIANETICS

THE MODERN SCIENCE OF MENTAL HEALTH

A HANDBOOK OF DIANETIC THERAPY

L. RON HUBBARD

L. RON HUBBARD

DIANETICS

THE MODERN SCIENCE OF MENTAL HEALTH

Bay Head, Nueva Jersey

Arriba Una sala en el segundo piso permite a los visitantes recorrer este camino filosófico de Ronald a través de artefactos históricos y presentaciones de documentales, llenos de recuerdos de amigos, estudiantes y colegas

Derecha En la sala de Bay Head también se exhiben ediciones representativas de *Dianética* en cincuenta idiomas e imágenes ilustrativas del movimiento global que estas ediciones han inspirado

Siguiente página, arriba La Sala de Bay Head tal como era cuando L. Ronald Hubbard organizó y supervisó las primeras co-auditaciones de Dianética. Todo el mobiliario es históricamente auténtico, incluso el televisor de 1950 y la madera de la chimenea recogida de la playa de Bay Head hasta donde el mar la había arrastrado.

Siguiente página, abajo L. Ronald Hubbard escribió *Dianética: La Ciencia Moderna de la Salud Mental* sentado frente a su escritorio en una habitación del segundo piso. La máquina de escribir es una Remington Noiseless (manual). El texto tenía 160,000 palabras, y lo terminó entre la primera semana de enero y el 10 de febrero de 1950.

Remington
Noiseless

El Sitio Patrimonial de L. Ronald Hubbard y lugar donde nació Dianética: así estaba en el invierno de 1950, y así está hoy en día. Se restauró meticulosamente en cada aspecto, ahora los visitantes pueden explorar la casa de Ronald frente al mar en Bay Head, Nueva Jersey, y encontrarla exactamente como él la dejó cuando presentó su nueva ciencia de la mente con estas palabras inmortales: "Dianética es una aventura. Es una exploración al interior de la *Terra Incognita,* la mente humana, esa vasta y hasta ahora desconocida región que se encuentra un centímetro detrás de nuestras frentes".

CAPÍTULO TRES

El Amanecer Dorado DE SCIENTOLOGY

El Amanecer Dorado
de Scientology

Los materiales de Dianética y Scientology están contenidos en aproximadamente diez mil obras escritas y tres mil conferencias grabadas. Principalmente, esos materiales se relacionan con la aplicación de los principios filosóficos de L. Ronald Hubbard: los procesos de auditación para alcanzar una mayor consciencia y habilidad; los procesos de ayudas para el alivio de la enfermedad física y el sufrimiento emocional; los medios para resolver dificultades en el área del trabajo; las flaquezas éticas; la inhabilidad para aprender y, francamente, mucho, mucho más. Sin embargo, la raíz filosófica de Dianética y Scientology, la verdad central en la que se basa todo, difícilmente podría ser más sencilla:

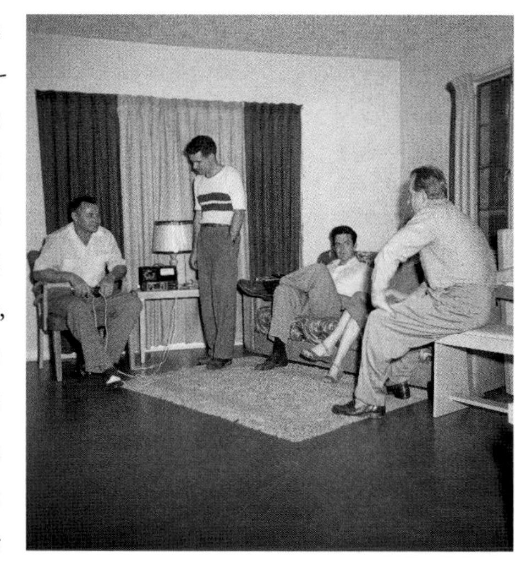

Izquierda
Phoenix, Arizona, 1952: Ronald (sentado en la banca) con algunos de los primeros estudiantes de Scientology

"El espíritu es la fuente de todo. Eres un espíritu".

Ésta es una declaración única y, de hecho, no se encuentra en ninguna otra parte en la totalidad del pensamiento filosófico, religioso ni científico. De hecho, ni en las escrituras gnósticas más extensas encuentra uno algo tan amplio como la declaración de L. Ronald Hubbard acerca de nuestra esencia espiritual. Tampoco se encuentra nada que se acerque a la meta de Scientology: que no es llevar al espíritu a la presencia de Dios, sino recuperar su propia compasión, sabiduría y causalidad, comparables a las de Dios, como un ser inmortal e imperecedero.

Tal fue la revelación central de la investigación y los descubrimientos de L. Ronald Hubbard en los primeros meses de 1952 y ese fue el mensaje que dio en 1954 a un mundo desprevenido. Aquí se presentan tres documentos memorables de esos años.

El primero es un artículo tomado del *Diario de Scientology* titulado "La Búsqueda del Hombre en Pos de su Alma". Es de vital importancia en todos

Izquierda Phoenix, Arizona, 1954

Arriba el "Laboratorio del Desierto" de L. Ronald Hubbard al pie de la montaña Camelback en Phoenix, Arizona. Fue aquí, durante la trascendental primavera de 1952, que Ronald demostró empíricamente que el espíritu humano se podía separar del cuerpo y actuar en forma independiente: en esa forma llegó al nexo entre la ciencia y la religión y a partir de ahí, a la fundación de Scientology.

sus aspectos. De hecho, es aquí donde L. Ronald Hubbard habla de haber llegado finalmente a "ese punto de fusión donde la ciencia y la religión se unen", es decir, un lugar digno de respeto y veneración donde ya no es posible seguir ignorando al alma humana.

El segundo artículo que se presenta aquí lleva el título de "¿Es Posible Ser Feliz?". Es una transcripción, para publicación, de una trasmisión radiofónica de L. Ronald Hubbard en diciembre de 1954. Es notable en particular por la claridad con que Ronald aborda los milagros de Scientology, lo que se relaciona con un tema fascinante en ese periodo. Se basa en el hecho de que Phoenix era entonces predominantemente fundamentalista y había en ella un gran número de evangelistas itinerantes que afirmaban que podían sanar a pecadores afligidos sin siquiera verlos. Como respuesta, una Iglesia de Cristo de la ciudad ofreció una recompensa de mil dólares a cualquiera que presentara la prueba irrefutable de un milagro. Pero de hecho, la oferta era un fraude y en realidad tenía el propósito de desacreditar a sanadores evangelistas provenientes del exterior, e impedir que invadieran el territorio de ministerios establecidos. La recompensa también tenía el propósito de reforzar el dogma ortodoxo que sólo el Salvador podía hacer milagros. Esto explica su disgusto cuando la Iglesia de Scientology de hecho presentó pruebas de que el brazo tullido de un niño de cuatro años

"milagrosamente" retomó su desarrollo normal después de sólo cinco horas de procesamiento de Scientology.

También de 1954 presentamos "¿Qué Es Scientology?". Es parte de una serie de artículos publicados por la campaña del "Amanecer Dorado", que originalmente estaba destinada para la ciudad de Phoenix en general. Por consiguiente, *El Amanecer Dorado* era una invitación a las conferencias introductorias de L. Ronald Hubbard (que originalmente se impartieron en la recién establecida Iglesia de Scientology en la calle East Roosevelt y más tarde en el auditorio de la Escuela Monroe). Por tanto, he aquí verdades tomadas de la cumbre de Scientology presentadas en un lenguaje cotidiano, como una introducción a la inmortalidad.

Finalmente, y como base para todos los artículos siguientes, reiteramos la intensidad y profundidad de la investigación que se realizó en ese periodo. En efecto, L. Ronald Hubbard fue categóricamente el primero en identificar las capacidades de los seres exteriorizados y también fue el primero en verificar el hecho de la inmortalidad. Fue también el primero en medir las manifestaciones de energía de la fuente de la vida en sí. Es decir, registró literalmente, utilizando un osciloscopio, las longitudes de onda emitidas directamente a partir del espíritu humano.

De modo que, en efecto, estamos entrando en un mundo rico donde la ciencia y la religión finalmente se unen. Y en efecto, es un lugar donde finalmente se revela la asombrosa verdad de la existencia humana. ■

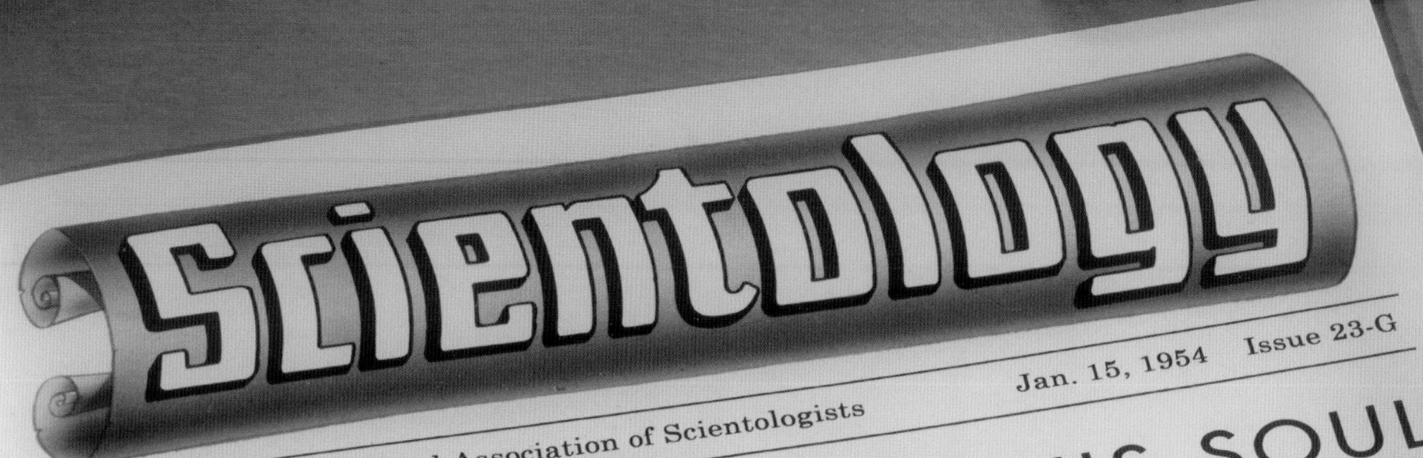

Scientology

Jan. 15, 1954 Issue 23-G

Published by the Hubbard Association of Scientologists

MAN'S SEARCH FOR HIS SOUL

by L. Ron Hubbard

For countless ages past, Man has been engaged upon a search.

All thinkers in all ages have contributed their opinion and considerations to it. No scientist, no philosopher, no leader has failed to comment upon it. Billions of men have died for one opinion or another on the subject of this search. And no civilization, mighty or poor, in ancient or in modern times, has endured without battle on its account.

The human soul, to the civilized and barbaric alike, has been an endless source of interest, attention, hate or adoration.

To say today that I have found the answer to all riddles of the soul would be inaccurate and presumptuous. To discount what I have come to know and to fail to make that known after observing its benefits would be a sin of omission against Man.

Today, after twenty-five years of inquiry and thought and after three years of public activity wherein I observed the material at work and its results, I can announce that in the knowledge I have developed, there must lie the answers to that riddle, to that enigma, to that problem—the human soul. For under my hands and others', I have seen the best in Man rehabilitated.

For the time since I first made a Theta Clear, I have been, with some reluctance, out beyond any realm of the scientific known. And now that I have myself cleared half a hundred, and auditors I have trained, many times that, I must face the fact that we have reached that merger point where science and religion meet, and we must now cease to pretend to deal with material goals alone.

We cannot deal in the realm of the human soul and ignore the fact. Man has too long pursued this search for its happy culmination here to be muffled by vague and scientific terms.

Religion, not science, has carried this search, th war, through the millennia. Science has all but sw lowed Man with an ideology which denies the sou symptom of the failure of science in that search.

One cannot now play traitor to the men of God sought these ages past to bring Man from the dark

We in Scientology belong in the ranks of the se after truth, not in the rear guard of the makers atom bomb.

However, science too has had its role in th deavors. And nuclear physics, whatever crim against Man, may yet be redeemed by havin aid in finding for Man the soul of which scie but deprived him.

No auditor can easily close his eyes to th achieves today or fail to see them superior rialistic technologies he earlier used. For w with all else we know, that the human sou only effective therapeutic agent that we goals, no matter our miracles with bodies physical health and better men.

Scientology is the science of knowin It has taught us that a man is his ow And it gives us little choice but to ann no matter how it receives it, that nu religion have joined hands and that perform those miracles for which M search has hoped.

The individual may hate God c cannot ignore, however, the evide soul. Thus we have resolved ou answer simple.

LA BÚSQUEDA DEL HOMBRE EN POS DE SU ALMA

de L. Ronald Hubbard

Durante los incontables milenios del pasado, el hombre ha estado dedicado a una búsqueda. Todos los pensadores de todos los tiempos han aportado a esta búsqueda sus opiniones y consideraciones. Ningún científico, filósofo o líder ha dejado de comentar sobre ella. Miles de millones de personas han muerto debido a una u otra opinión sobre el tema de esta búsqueda. Y ninguna civilización, poderosa o humilde, en la antigüedad o en los tiempos modernos, ha perdurado sin batallar por ella.

El alma humana, tanto para el hombre civilizado como para el bárbaro, ha sido una fuente inagotable de interés, atención, odio o adoración.

Decir que he encontrado la respuesta a todos los enigmas del alma sería inexacto y presuntuoso. Desestimar lo que he llegado a saber y no darlo a conocer después de observar sus beneficios, sería un pecado de omisión contra el hombre.

Hoy, después de veinticinco años de investigación y reflexión, y después de tres años de actividad pública en que he observado este material en acción y he visto sus resultados, puedo anunciar que en el conocimiento que he desarrollado, deben encontrarse las respuestas a ese enigma, a esa incógnita, a ese problema: el alma humana. Pues en mis manos y en las de otros, se ha visto rehabilitarse lo mejor del hombre.

Puesto que desde el momento en que produje por primera vez a un *Theta Clear* he estado, aunque con cierta renuencia, más allá de todo el ámbito de lo científicamente conocido. Y ahora que yo mismo he llevado a Clear a medio centenar de personas, y que he entrenado a un número de auditores mucho mayor todavía, tengo que afrontar el hecho de que hemos llegado a ese punto de unión donde la ciencia y la religión se encuentran y tenemos que dejar de fingir que sólo nos ocupamos de metas materiales.

No podemos ocuparnos del ámbito del alma humana e ignorar este hecho. El hombre se ha entregado a esta búsqueda desde hace demasiado tiempo como para que su feliz culminación se vea refrenada por términos vagos y científicos.

La religión, no la ciencia, ha conducido esta búsqueda, esta guerra, a lo largo de los milenios. La ciencia no ha hecho más que devorar al hombre con una ideología que niega el alma: un síntoma del fracaso de la ciencia en esa búsqueda.

No se puede traicionar ahora a los hombres de Dios que durante esos milenios del pasado intentaron sacar al hombre de la oscuridad.

En Scientology, pertenecemos a las filas de los que buscan la verdad, y no a la retaguardia de los fabricantes de bombas atómicas.

Sin embargo, la ciencia también ha desempeñado su papel en estos empeños. Y la física nuclear, sea cual sea el crimen que cometa contra el hombre, aún puede ser redimida al haber sido de ayuda para encontrar para el hombre el alma de la que la ciencia no había hecho otra cosa que privarlo.

Ningún scientologist puede cerrar fácilmente los ojos a los resultados que él logra hoy en día ni dejar de ver que son superiores a las tecnologías materialistas que él haya utilizado en el pasado. Porque nosotros podemos saber, junto a todo lo demás que sabemos, que el alma humana, liberada, es el único agente terapéutico eficaz que poseemos. Pero nuestras metas, sin importar los milagros que logremos en los cuerpos hoy en día, van más allá de la salud física y hombres mejores.

Scientology es la ciencia de saber cómo saber. Nos ha enseñado que un hombre *es* su propia alma inmortal. Y no nos deja otra alternativa que anunciar al mundo, sin importar cómo este lo reciba, que la física nuclear y la religión se han dado la mano, y que nosotros, en Scientology, realizamos los milagros que el hombre ha anhelado a lo largo de toda su búsqueda.

El individuo podrá odiar a Dios o desdeñar a los sacerdotes. No puede ignorar, sin embargo, la prueba de que él es su propia alma. Así pues, hemos resuelto nuestro enigma y encontrado que la solución es sencilla. Ronald

Scientology

Jan. 15

Published by the Hubbard Association of Scientologists

Scientology

Dec. 1954 Issue 41-G

Published by the Hubbard Association of Scientologists

IS IT POSSIBLE TO BE HAPPY?

by L. Ron Hubbard

Is it possible to be happy?

A great many people wonder whether or not happiness even exists in this modern, rushing world. Very often an individual can have everything his heart apparently desires and is still unhappy. We take the case of somebody who has worked all his life. He's worked hard. He's raised a big family. He's looked forward to that time of his life when he, at last, could retire and be happy and be cheerful and have lots of time to do all the things he wanted to do. And then we see him thinking about the good old days when he was working hard.

Our main problem in life is happiness.

The world today may or may not be designed to be a happy world. It may or may not be possible for you to be happy in this world. And yet, nearly all of us have the goal of being happy and cheerful about existence.

And then, very often, we look around at the world around us and say, "Well, nobody could be happy in this place." We look at the dirty dishes in the sink and the car needing a coat of paint and the fact that we need a new gas heater, we need a new coat, we need new shoes or we'd just like to have better shoes, and say, "Well, how could anybody *possibly* be happy when, actually, he can't have everything he wants? He's unable to do all the things he'd like to do) and, therefore, this environment doesn't *permit* a person to be as happy as he could be."

Well, I'll tell you a funny thing. A lot of philosophers have said this many, many times, but the truth of the matter is that all the happiness you will ever find lies in *you*.

You remember when you were maybe five years old and you went out in the morning and you looked at the day — and it was a very, very beautiful day. You looked at flowers and they were very beautiful flowers. Twenty-five years later, you get up in the morning, you take a look at the flowers — they are wilted. The day isn't a happy day. Well, what's changed? You know they are the same flowers, it's the same world. Something must have changed. Well,

big, strong brute of a man riding this iron steed, up and down. Boy, he'd like to be a cop. Yes sir, he'd sure like to be a cop! Twenty-five years later, he looks at that cop riding up and down, checking his speedometer and says, "Doggone these cops!"

Well, what's changed here? Has the cop changed? No. Just the *attitude* toward life makes every possible difference in one's living. You know, you don't have to study a thousand ancient books to discover that fact. But sometimes it needs to be pointed out again that life doesn't change much as *you*.

Once upon a time, perhaps, you were thinking of being married and having a nice home and having a nice family and everybody would be just right. And the husband would come home, and you'd put dinner on the table and everybody would be happy about the whole thing. And then you got married and it didn't quite work out. Somehow or other, he comes home, he's had an argument with the boss and he doesn't want to go to the movies and he doesn't want to do any work, doesn't want to do anyhow. After all, you just sit home every evening and he's gone and he hasn't done anything either. And you know he doesn't do any work around the house, he pears out of the house, he's gone and he comes could ensue over this and, actually, both of you work hard.

Well, what do we do in a condition like this? Do we break up the marriage? Or touch a match to the house and put all the kids in the garbage can and go home to mother? What do we do?

Well, there are many, many, many things to do. The least of them is to take a look at the whole thing and say, "Where am I? What am I doing here?" ... you've found out where you are, then you could make that a little more bearable.

The day when you stop building your own future is the day you stop building your own future, when you start growing old. A man's future is built and greeted, and he heads, things cease to be ...

Well, maybe you've few years to ...

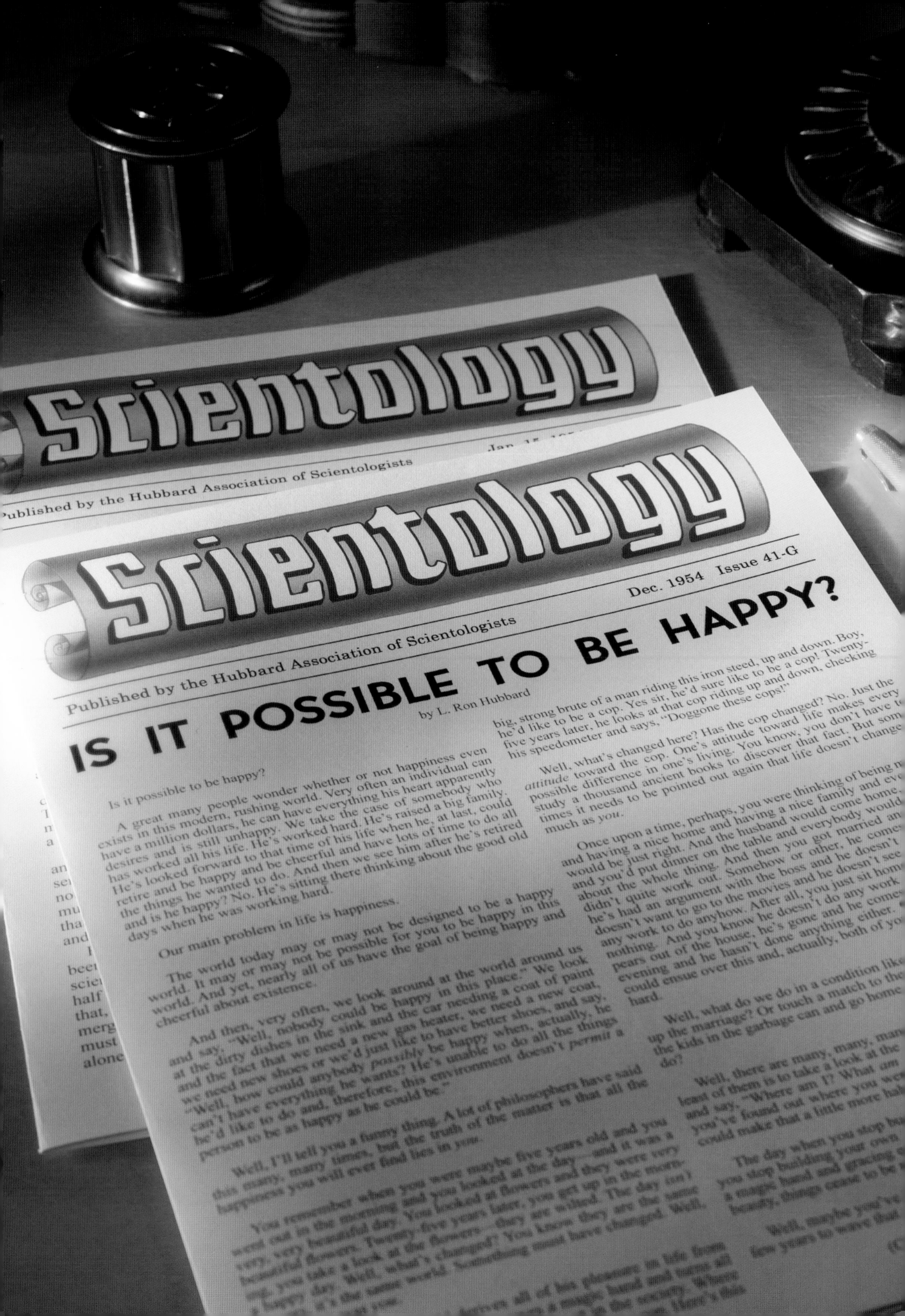

¿ES POSIBLE SER FELIZ?

de L. RONALD HUBBARD

¿Es posible Ser Feliz?

Muchísima gente se pregunta si la felicidad siquiera existe en este mundo moderno y apresurado. Muy a menudo un individuo puede tener un millón de dólares, puede tener todo lo que aparentemente desea y aun así es desdichado. Tomemos el caso de alguien que ha trabajado toda su vida. Ha trabajado duro. Ha sacado adelante una gran familia. Ha anhelado el momento de su vida en que, por fin, pueda jubilarse y ser feliz, estar contento y tener mucho tiempo para hacer todas las cosas que quería hacer. Y luego lo vemos después de que se ha jubilado y... ¿es feliz? No. Está ahí sentado pensando en los buenos tiempos, cuando trabajaba con empeño.

Nuestro principal problema en la vida es la felicidad.

El mundo hoy en día puede o no estar concebido para ser un mundo feliz. Cabe o no cabe la posibilidad de que seas feliz en este mundo. Y sin embargo, casi todos tenemos la meta de ser felices y estar alegres respecto a la existencia.

Y entonces, muy a menudo, miramos el mundo que nos rodea y decimos: "Bueno, nadie podría ser feliz en este lugar". Miramos los platos sucios en el fregadero, y el coche que necesita una mano de pintura, y el hecho de que necesitamos un nuevo calentador de gas, necesitamos un abrigo nuevo, necesitamos zapatos nuevos o simplemente nos gustaría tener zapatos mejores, y decimos: "Bueno, ¿cómo es *posible* que alguien pueda ser feliz, cuando en realidad no puede tener todo lo que quiere? Es incapaz de hacer todo lo que le gustaría hacer y, por lo tanto, este entorno no le *permite* a la persona ser tan feliz como podría ser".

Bueno, te diré algo curioso. Muchos filósofos han dicho esto muchas, muchas veces, pero la verdad del asunto es que toda la felicidad que jamás encontrarás se halla en *ti*.

Te acuerdas de cuando tenías quizás unos cinco años, y salías por la mañana y mirabas el día, y era un día realmente espléndido. Mirabas las flores y eran unas flores *muy* hermosas. Veinticinco años más tarde, te levantas por la mañana, echas un vistazo a las flores: están marchitas. El día *no es* un día feliz. Bueno, ¿qué ha cambiado? Tú sabes que son las mismas flores, es el mismo mundo. Algo debe haber cambiado. Bueno, probablemente fuiste *tú*.

En realidad, un niño pequeño obtiene todo su placer en la vida de la gracia que él pone en la vida. Agita una mano mágica y hace realidad todo tipo de cosas interesantes en la sociedad. ¿Dónde hace esto? Va por ahí y mira a un policía. Aquí está este hombre fornido, fuerte como una bestia, que va por ahí montado en su corcel de acero. ¡hombre, vaya si le gustaría a él ser policía! ¡Vaya que sí, le encantaría ser policía! Veinticinco años más tarde, ve a ese policía conduciendo por ahí, comprobando su velocímetro y dice: "¡Estos malditos policías!".

"Muchos filósofos han dicho esto muchas, muchas veces, pero la verdad del asunto es que toda la felicidad que jamás encontrarás se halla en ti".

Bueno, ¿qué ha cambiado aquí? ¿Ha cambiado el policía? No. Sólo la *actitud* hacia el policía. La actitud de uno hacia la vida afecta marcadamente a la vida de uno. Ya sabes, no tienes que estudiar mil libros antiguos para descubrir ese hecho. Pero a veces hace falta volver a señalar que la vida no cambia tanto como *tú*.

Quizás hubo una vez en que pensabas casarte y tener un bonito hogar y una bonita familia y todo sería simplemente perfecto. Y el marido llegaría a casa, ¿ves?, y pondrías la cena en la mesa, y todo el mundo estaría feliz al respecto. Y luego te casaste y quizás no salió tan bien. De una forma u otra, él llega tarde a casa, ha tenido una discusión con el jefe y no se siente bien. No quiere ir al cine, y tampoco ve que tú tengas nada de

trabajo que hacer, de todas maneras. Al fin y al cabo, te pasas el día en casa sentada sin hacer nada. Y tú sabes que él tampoco trabaja nada. Él desaparece de casa, se ha ido y vuelve tarde por la noche y tampoco ha hecho nada. Esto podría dar lugar a toda una discusión y, en realidad, los dos han trabajado muy duro.

Bueno, ¿qué hacemos en una situación así? ¿Rompemos el matrimonio así, sin más? ¿O le prendemos fuego a la casa? ¿O tiramos a los niños a la basura y nos vamos a casa de mamá? ¿O qué hacemos?

Bueno, hay muchas, muchas, muchas cosas que podríamos hacer, pero lo mínimo que se puede hacer es echar un vistazo al entorno. Sólo mirar alrededor y decir: "¿Dónde estoy? ¿Qué *estoy* haciendo *aquí*?". Y entonces, una vez que hubieras descubierto dónde estabas, pues, tratar de ver cómo podrías hacerlo un poco más habitable.

El día en que dejas de crear tu propio entorno, cuando dejas de crear tus propios alrededores, cuando dejas de agitar una mano mágica y dotar de magia y belleza a todo lo que te rodea, las cosas dejan de ser mágicas, las cosas dejan de ser bellas.

Bueno, puede que simplemente hayas descuidado en algún momento en los últimos años agitar esa mano mágica.

Otras personas buscan la felicidad de diversas formas. La buscan frenéticamente. Es como si fuera una especie de mecanismo que existe. Se fabrica. Puede que sea una maquinita, puede que sea algo que esté arrumbado en una alacena o puede que la felicidad esté a la vuelta de la esquina. Quizás esté en otro sitio. Ellos están buscando *algo.* Bueno, lo curioso de esto es que la única vez en que llegarán a encontrar algo es sólo cuando ellos lo pusieron ahí en *primer* lugar. Ahora, esto no parece muy verosímil, pero es muy cierto.

Abajo
Otra vista del hogar de Ronald en Phoenix al pie de la montaña Camelback y donde escribiría acera de piedras que se tornaban rojas con las primeras luces del amanecer

Esas personas que han llegado a sentirse desdichadas respecto a la vida, *son* desdichadas acerca de la vida única y exclusivamente porque la vida ha dejado de ser creada por ellos. Aquí tenemos la única diferencia en un ser humano. Tenemos a ese ser humano que es desdichado, miserable y que no está saliendo adelante en la vida, que está enfermo, que no ve esperanza alguna. La vida está manejándolo, dirigiéndolo, cambiándolo, moldeándolo a *él.* Aquí tenemos a alguien que es feliz, que es alegre, que es fuerte, que encuentra que hay algo que vale la pena hacer en la vida. ¿Qué descubrimos en esta persona? Encontramos que él está creando la vida. Ahora, en realidad esta es la única diferencia: ¿estás tú creando la vida o está la vida creándote a ti?

"Esas personas que han llegado a sentirse desdichadas respecto a la vida, son desdichadas acerca de la vida única y exclusivamente porque la vida ha dejado de ser creada por ellos".

Y cuando indagamos en esto, encontramos que la persona ha dejado de crear la vida porque ella misma ha decidido que la vida no se puede crear. Algún fracaso, algún pequeño fracaso (quizás no graduarse en la misma clase, quizás aquel fracaso que tuvo que ver con no casarse con el primer hombre o mujer que apareció y parecía apropiado, quizás el fracaso de haber perdido un coche o algo sin importancia en la vida) inició esta actitud. Un día una persona miró a su alrededor y dijo: "Bueno, he perdido". Y después de eso la vida lo crea a él; él ya no crea la vida.

Bueno, esta sería una situación espantosa si no se pudiera hacer algo al respecto. Pero el hecho es que ese es el problema más fácil de todos los problemas que afronta el hombre: cambiarse a sí mismo y cambiar las actitudes de los que le rodean. Cambiar la actitud de otra persona es muy, muy fácil. Y aun así dependes por completo de las actitudes de otras personas. La actitud de alguien hacia ti puede determinar el éxito o el fracaso de tu vida. ¿Se te ha ocurrido alguna vez que tu hogar probablemente permanece unido debido a la actitud de la otra persona hacia ti? Así que aquí hay dos problemas. Tienes que cambiar dos actitudes: una, tu actitud hacia la otra persona; y dos, su actitud hacia ti.

Bueno, ¿hay formas de hacer estas cosas? Sí, afortunadamente, las hay.

Durante muchos, muchos, muchos siglos, el hombre ha deseado saber cómo cambiar la mentalidad y condición de sí mismo y de sus semejantes. En realidad, el hombre no había acumulado suficiente información para hacer esto hasta hace relativamente unos pocos años. Pero estamos viviendo en un mundo que se mueve muy rápidamente. Estamos viviendo en un mundo en el que la magia puede producirse en cualquier momento, y se ha producido.

El hombre comprende ahora muchísimas cosas sobre el universo en que vive que nunca antes comprendió. Y entre las cosas que ahora comprende está la mente humana. La mente humana no es un problema sin resolver. La psicología del siglo XIX no resolvió el problema. Eso no significa que no se haya resuelto.

En los tiempos modernos, se están produciendo los milagros más interesantes por todo este país y por todos los demás continentes de la Tierra. ¿En qué consisten esos milagros? Consisten en gente que se pone bien. Consisten en gente que era desdichada y vuelve a ser feliz otra vez. Consisten en eliminar el peligro inherente a muchas de las enfermedades y a muchas de las condiciones del hombre. Y sin embargo la respuesta ha estado con el hombre todo el tiempo. El hombre ha sido capaz de buscar y encontrar esta respuesta, pero quizás el hombre mismo tenía que cambiar. Tal vez tuvo que llegar hasta los tiempos modernos para darse cuenta de que el universo físico no estaba compuesto de demonios ni fantasmas, para dejar atrás sus supersticiones, para dejar atrás la ignorancia de sus antepasados. Tal vez tuvo que hacer de todo, incluso inventar la bomba atómica, antes de que pudiera encontrarse a sí mismo.

Bueno, ya ha dominado bastante bien el universo físico ahora. Para él, el universo físico, ahora, no es más que un peón: puede hacer muchas cosas con él. Y habiendo conquistado eso, puede ahora conquistarse a sí mismo. La verdad del asunto es que se *ha* conquistado a sí mismo.

Scientology surgió gracias al aumento del conocimiento del hombre sobre la energía. El hombre llegó a poseer más información sobre la energía de la que jamás había tenido antes en toda su historia. Y dentro de esa información, llegó a poseer datos sobre la energía que constituye su propia mente.

El cuerpo *es* un mecanismo de energía. Naturalmente, alguien que no pueda manejar la energía, no podrá manejar un cuerpo. Estaría cansado, estaría trastornado, sería desdichado. Cuando mira a su alrededor, no encuentra *sino* energía.

Si supiera mucho sobre la energía (en especial sobre su propia energía, la energía que le hizo pensar, la energía que *era* él mismo y el espacio que le rodeaba), desde luego se conocería a sí mismo. Y esa, a fin de cuentas, ha sido su meta durante muchos miles de años: conocerse a sí mismo.

Scientology ha hecho posible que él pueda hacer eso. Ronald

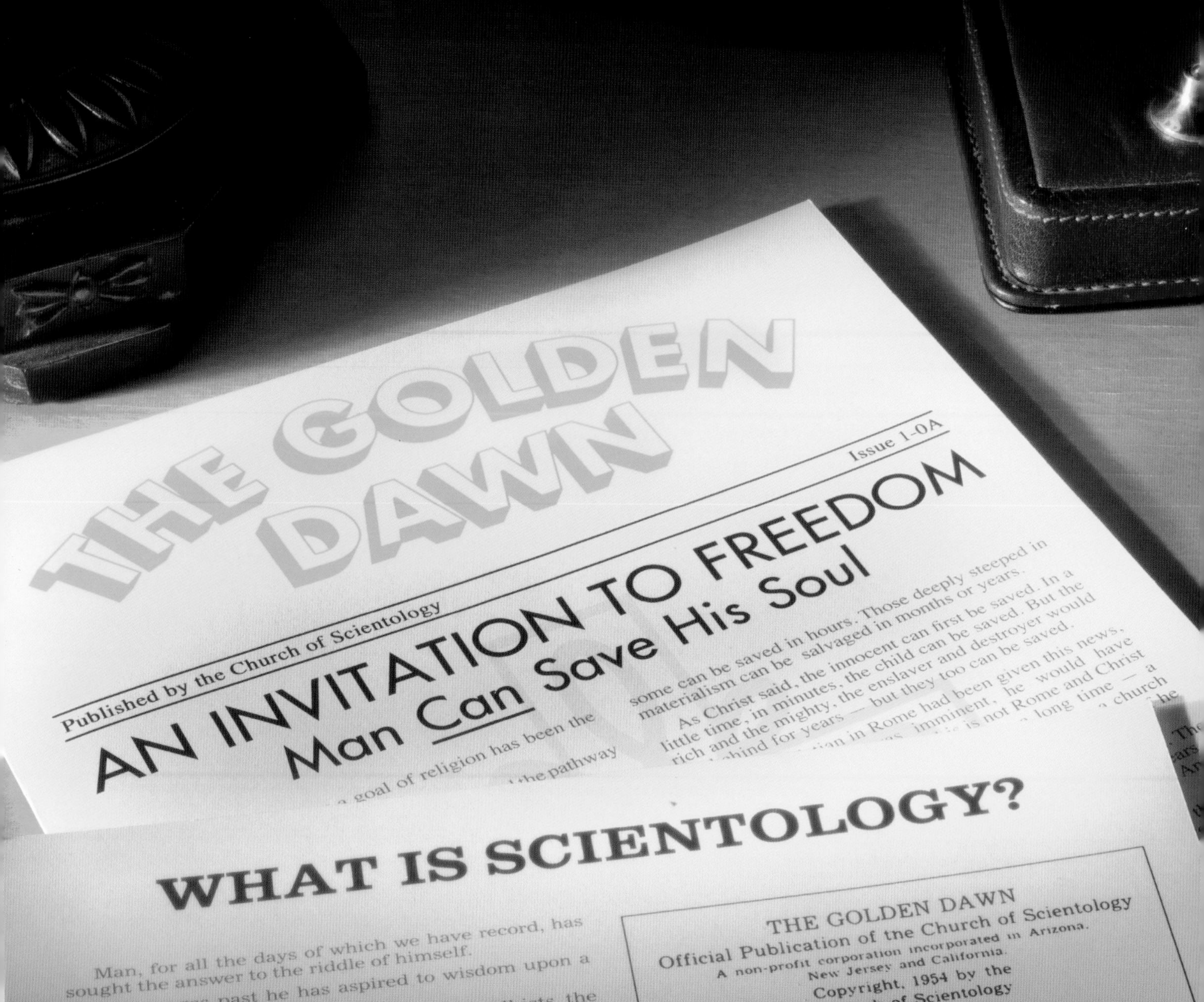
THE GOLDEN DAWN

Published by the Church of Scientology

Issue 1-0A

AN INVITATION TO FREEDOM

Man Can Save His Soul

some can be saved in hours. Those deeply steeped in materialism can be salvaged in months or years.

As Christ said, the innocent can first be saved. In a little time, in minutes, the child can be saved. But the rich and the mighty, the enslaver and destroyer would ... behind for years — but they too can be saved.

WHAT IS SCIENTOLOGY?

Man, for all the days of which we have record, has sought the answer to the riddle of himself.

In the ages past he has aspired to wisdom upon a thousand paths.

The earliest peoples, the Vedics, the Buddhists, the Taoists and the Christians have all yearned toward the knowingness which would open the doors of the Universe and discover more splendid states.

"Scientology" is a word in the tradition of all such words. It means in English the same as its counterparts in Hindu, in Sanskrit, in Hebrew and Latin. "Veda," "Tao," "Dhyana," and many other religious words mean exactly what "Scientology" means: the study of Wisdom.

Scientology embraces that knowingness necessary to the resolution of problems, such as those found in any human situation, whether the magnitude of the problem is personal or community in size.

Specifically, in Scientology we carry forward ten thousand years of known religious search into the mystery of life.

The efforts of Dharma, Lao-tzu, Gautama, Moses and Christ have given Man his principal lodestars upon this path.

The wisdom sought was the actuality of life, the identity of Creator of Life, and the actuality and identity of the human soul. The technology sought by all religious sages in all Man's past was the salvation of the human soul.

By fascinating adventures and through many difficulties this wisdom has come, factually, into the hands of modern man under the word which groups such wisdom and technology—"Scientology."

...ntology masters various body ills and solves ... but this is natural that it would

THE GOLDEN DAWN
Official Publication of the Church of Scientology
A non-profit corporation incorporated in Arizona, New Jersey and California.
Copyright, 1954 by the Church of Scientology
Price 10c per copy

Issued by the authority of the Board of Trustees
Editorial office 806 North Third Street, Phoenix, Arizona.
The use of materials and techniques of Scientology, the name Scientology, and the right to use the publications of Scientology by the Church of Scientology are by express and explicit permission of the trademark and copyright owner and may not otherwise be quoted, used or employed. The right to quote or use these may be procured only through the Church of Scientology from the trademark and copyright owner.

... a religious organization containing m...
universe. It is a religious organization containing m... creeds and faiths.

There are two categories of religion—the fir... religious wisdom, the second is religious practice... first is composed entirely of teachings; the sec... composed of opinions and practices.

Various mutually used writings serve many... So it is with Scientology.

The Church of Scientology operates on ... creed. It is completely independent of the ... Association of Scientologists International.

Scientology is a wisdom of how to free a... human soul.

THE CHURCH OF SCIENTOLO...

The Church of Scientology is com... sectarian, non-denominational. Memb... Church does not imply anything beyon... creed and a willingness to help others t...

¿QUÉ ES SCIENTOLOGY?

de L. RONALD HUBBARD

EL HOMBRE, DURANTE TODAS las eras de las que tenemos registro, ha intentado responder al enigma de sí mismo.

En las eras del pasado ha aspirado a la sabiduría siguiendo un millar de senderos.

Todos los pueblos más antiguos: los vedas, los budistas, los taoístas y los cristianos, han anhelado el conocimiento que abriera las puertas del Universo y revelara estados más espléndidos.

"Scientology" es una palabra que sigue la tradición de todas las palabras de ese tipo. Significa lo mismo que sus equivalentes en hindú, en sánscrito, en hebreo y en latín. "Veda", "Tao", "Dhyana" y muchas otras palabras religiosas significan exactamente lo mismo que "Scientology": el estudio de la sabiduría.

Scientology abarca el conocimiento necesario para resolver problemas como los que se encuentran en cualquier situación humana, ya sea que la magnitud del problema sea personal o comunitaria, en cuanto a su tamaño.

De manera específica, en Scientology damos impulso a diez mil años de búsqueda religiosa para penetrar el misterio de la vida.

Los esfuerzos de Dharma, Lao-tse, Gautama, Moisés y Cristo le han dado al hombre sus principales estrellas polares que guían su camino.

La sabiduría que se buscaba era la autenticidad de la vida, la identidad del Creador de la Vida, la autenticidad y la identidad del alma humana. La tecnología que buscaban todos los sabios religiosos del pasado del hombre era la salvación del alma humana.

Mediante aventuras fascinantes y por medio de muchas dificultades, esta sabiduría, de hecho, ha llegado a manos del hombre moderno en forma de la palabra que agrupa tal sabiduría y tecnología: "Scientology".

Scientology domina diversos males corporales y resuelve problemas de la mente, pero es natural que lo haga y este es un uso mínimo de ella.

Scientology describe al alma humana y la libera mediante tecnología simple.

Un "scientologist" es alguien que conoce y aplica Scientology a otros. Un scientologist es un experto en asuntos humanos. El scientologist que se ha entrenado durante mucho tiempo es un ministro ordenado. Para ser Doctor de Teología en Scientology uno debe haber estudiado varios miles de horas o muchas veces más que quienes tienen doctorados en profesiones comparables.

En Scientology, como en muchas iglesias, también hay "profesionales laicos". En ocasiones se les entrena durante varios meses y se les confían asuntos bastante habituales.

Hay scientologists de muchas religiones y credos. Para ser scientologist o para interesarse en Scientology o usarla, no es necesario abandonar una iglesia o una fe. Por el contrario, uno debe permanecer con los miembros de su religión y darles asistencia.

La Iglesia de Scientology no busca un imperio en este universo. Es una organización religiosa que contiene muchos credos y creencias.

Hay dos categorías de religión: la primera es la sabiduría religiosa, la segunda es la práctica religiosa. La primera se compone enteramente de enseñanzas; la segunda se compone de opiniones y prácticas.

Muchas religiones comparten y usan diversos escritos. Lo mismo ocurre con Scientology.

La Iglesia de Scientology actúa basándose en su propio credo. Es completamente independiente de la Asociación Hubbard de Scientologists Internacional.

Scientology es una sabiduría sobre cómo liberar y sanar al alma humana. Ronald

"Scientology es una sabiduría sobre cómo liberar y sanar al alma humana"—LRH

Phoenix, Arizona

Arriba El estudio de Camelback donde Ronald destiló dos décadas de estudios profundos en *Scientology 8-80*: la primera descripción definitiva de una fuente de la vida que lo sabe todo y que lo abarca todo

Derecha El piano Janssen con el cual Ronald llevó a cabo investigación fundamental sobre la naturaleza de la estética pura como una longitud de onda real que se acercaba a las emanaciones del espíritu humano en sí

Siguiente página, arriba Vista interior de la casa de Ronald al pie de la montaña Camelback: fue aquí, durante la primavera de 1952, que efectivamente aisló la esencia inmortal que es el espíritu humano

Siguiente página, abajo El Cuarto de Phoenix, lleno de fotografías y objetos relacionados con la senda de descubrimientos de Ronald para la fundación de Scientology. Entre otros objetos interesantes están los primeros sellos y diplomas de Scientology, al igual que un prototipo de la Cruz de Scientology.

La casa de L. Ronald Hubbard de Phoenix, Arizona es ahora otro hito en su gran trayecto hacia el Redescubrimiento del Alma Humana. Como tal, ofrece otra oportunidad para caminar por su extraordinario sendero de exploración y revelación.

CAPÍTULO CUATRO

Un Comentario Sobre Redescubrir el ALMA HUMANA

Un Comentario Sobre Redescubrir el Alma Humana

En un comentario más de gran alcance sobre su búsqueda filosófica general, L. Ronald Hubbard escribe de una odisea épica "por muchos caminos y a través de muchas sendas hacia muchos callejones sin salida de incertidumbre". Fue una jornada, como él también nos dice, "a través de océanos tumultuosos de información" y a través de paisajes donde yacen los "huesos solitarios" de aquellos que se aventuraron antes que él pero que nunca regresaron para contar sobre lo que vieron; un viaje de dificultades casi inimaginables y de vasto esplendor. Aunque de forma menos poética, la explicación más descriptiva de este viaje se encuentra en una obra retrospectiva titulada "El Alma Humana Redescubierta".

El manuscrito se comenzó en 1955, pero nunca se terminó, y de hecho relata todo lo que precedió a lo que aparece en esta publicación. Como comentario sobre el contexto en general, añadamos algunos de los puntos más sobresalientes: aunque los sucesos que aquí se relatan marcan el comienzo de la búsqueda filosófica del Sr. Hubbard, él ya había pasado varios años previamente, según lo describiera en otra parte, "husmeando con mente inquisitiva", en temas de esta índole. Dignos de mención fueron sus primeros estudios psicoanalíticos con el Comandante Joseph Cheesman Thompson de la Fuerza Naval de Estados Unidos, a quien se recuerda como al primer oficial militar de Estados Unidos que estudió con Sigmund Freud en Viena, y fue uno de los primeros en aplicar las teorías de Freud al campo de la etnología. También merece la pena mencionar la temprana amistad de L. Ronald Hubbard con los profundamente espirituales miembros de la tribu de los pies negros del estado de Montana, y lo que llegaron a ser estudios folclóricos con un famoso hechicero de aquella zona conocido como "El Viejo Tom". El punto es que, en ambos casos, mucho antes de llegar a la Universidad de George Washington el joven Ronald Hubbard había reflexionado mucho. Finalmente, y como se alude aquí, también había pasado casi dos años en la China prerrevolucionaria, y de hecho, había estado entre los primeros occidentales, después de Marco Polo, en tener acceso a las prohibidas lamaserías tibetanas diseminadas a lo largo de las colinas del sur de Manchuria.

Washington, D.C., 1962: *"Para bien o para mal, concluí que el hombre debería saber no sólo un poco más acerca del morir, sino mucho más acerca del hombre. Y eso forjó mi destino".* —LRH

En lo que concierte de manera específica a "El Alma Humana Redescubierta", añadamos que al referirse al "temible y ligeramente loco" director de la facultad de psicología de la Universidad de George Washington, Ronald en realidad está hablando del Dr. Frederick Moss, de mala reputación entre los estudiantes por sus preguntas ingeniosamente capciosas y por hacer correr ratas a través de horrendos laberintos eléctricos. Entretanto, el "muy famoso psiquiatra", que analiza los cálculos de Ronald sobre la capacidad de la memoria en la mente humana, fue nada menos que William Alanson White, entonces superintendente del Hospital Saint Elizabeth de Washington, D.C., y aún famoso por su oposición manifiesta a la cirugía psiquiátrica. No obstante, es de importancia primordial que simplemente entendamos esto: al recordar su trabajo a lo largo de estos años, en particular sus esfuerzos por aislar el depósito de la mente humana, vemos que el joven L. Ronald Hubbard estaba de hecho planteando una pregunta filosófica crucial. Es decir, cuando intentamos explicar toda la memoria humana en términos de fenómenos puramente físicos, nos encontramos mirando en última instancia al error

Iglesia Fundacional de Scientology de Washington, D.C., 1957

singular en la totalidad del credo científico de Occidente. Es decir, ningún diagrama del cerebro humano puede explicar todo lo que somos capaces de recordar (y mucho menos imaginar). No es por nada, entonces, que William Alanson White comentara, como respuesta a los cálculos de Ronald sobre la memoria: "Acabas de tirar a la basura todos los fundamentos de la teoría psiquiátrica y neurológica".

Hoy, por supuesto, los psicólogos, psiquiatras, neurólogos y demás, no dejan piedra por mover con sus esfuerzos por proponer teorías suficientemente vastas que expliquen la memoria humana en términos físicos. (Una de las más recientes incluye un modelo de rastros de memoria *dispersos* a lo largo de los contactos sinápticos, de tal modo que las memorias están superpuestas unas sobre otras. Otra mantiene que la memoria se recrea a través de la interacción dinámica de neuronas). Pero en cualquier caso, las preguntas que Ronald planteó en 1932 aún no se pueden responder dentro de un contexto completamente material. De ahí, la admisión cada vez más frecuente de la comunidad científica de que quizás, después de todo, como más tarde lo expresó L. Ronald Hubbard: "El hombre, como conjunto educado, sabía muy poco acerca del tema". ■

The Rediscovery of the
Human Soul

EL ALMA HUMANA REDESCUBIERTA

de L. RONALD HUBBARD

EN UNA ÉPOCA EL hombre supo que tenía un alma. Habría sufrido un gran impacto si le hubieran dicho que algún día se tendría que escribir un libro para informarle, como un descubrimiento científico, que la tenía.

Sin embargo, esto es de lo que trata. No es acerca de *tu* alma. No está concebido para decirte que seas bueno, malo, cristiano ni yogui. Se escribió para contarte la historia del redescubrimiento del alma humana como un hecho científico, demostrable.

Aquí, en un momento en que todas las religiones, en todas partes, enfrentan el peligro a ser extinguidas por el comunismo, la psiquiatría, la psicología, el materialismo dialéctico y otras innumerables -logías e -ismos, se podría creer que esto es un esfuerzo por crear un adecuado fervor religioso para detener el ataque de los panfletos de propaganda, que, independientemente de todo lo demás, son realmente los aspectos más horrorosos de estas amenazas contra el hombre. Sin embargo, esta obra no pretende tal cosa. Es dudoso que el control religioso del hombre tampoco haya tenido mucho éxito. En el calor de la fricción creada por tales conflictos uno podría no darse cuenta de que vale la pena investigar el alma y escribir acerca de ella por su propio valor, no por el interés del beneficio que podría lograrse al establecerla ni extinguirla.

La historia del redescubrimiento del alma es una considerable aventura desde un punto de vista puramente experimental y filosófico. La aventura se ha visto bastante intensificada por la cantidad de prejuicios y rechazos que se encuentran a causa de estas -logías e -ismos. Se pensaría que las ideologías serían bastante engreídas si creyeran que cualquier investigación sobre el alma tendría el propósito, desde luego, de ser una afrenta personal para cada una o todas ellas. Después de un tiempo de haber estado investigando el alma, uno concibe la visión de que entre todos estos desacuerdos modernos ha existido un solo acuerdo: que el tema del alma humana, para bien o para mal, se encontraba únicamente dentro de la esfera personal de cada persona. De ahí que publicar esto sería en sí mismo una aventura, ya que descubrirá en cada uno de estos -ismos y -logías, el engreimiento de creer que se le estaba atacando como tal. Y "atacar" toda esa oposición de un solo golpe requiere que un autor tenga piel de rinoceronte, la Ciudadela de Christophe o las patas de un impala. Sin tener ninguna de ellas, sino únicamente una cierta confianza en la estupidez de todas estas escuelas de esclavitud, encontramos en nosotros mismos no sólo una voluntad para aceptar el riesgo, sino el combate.

Nuestra mayor controversia, aparte de las menos importantes, es si el alma o el conocimiento sobre ella puede considerarse un "tema científico"; ya que por definición, en estos tiempos dialécticos, la ciencia es algo que considera que se ocupa exclusivamente de asuntos de la materia y ha procurado acumular para ella sola, de la misma forma que otros -ismos y -logías, la propiedad total del conocimiento y ha procurado demostrar que el conocimiento únicamente puede encontrarse dentro del materialismo. Esta visión algo indirecta resulta artificial al someterla a su primera inspección. *Ciencia* sólo significa "verdad", ya que proviene de la palabra griega *scio,* que es "saber en el sentido más pleno de la palabra". Utilizada de forma más estricta, la palabra "ciencia", más recientemente, implica una organización de conocimiento. Y si este es el caso, entonces este material que concierne al alma humana, que se basa en conocimiento basado estrictamente en la observación y que está organizado, ciertamente cumple con los criterios de conocimiento "científico".

"En una época el hombre supo que tenía un alma. Habría sufrido un gran impacto si le hubieran dicho que algún día se tendría que escribir un libro para informarle, como un descubrimiento científico, de que la tenía".

Por tanto, al estar basado en una verdad o conocimiento observable y mensurable, y al estar organizado, asignamos a este cuerpo de información acerca del alma humana la palabra *Scientology,* lo cual es decir, el "conocimiento del conocimiento", "saber cómo saber" o "estudio de la verdad"; y así, de este modo, con esta palabra, tomamos partido por las "-logías". Pero podríamos, de la misma manera, llamar a este material "almaísmo" o "la doctrina del alma humana" y tomar partido por los "-ismos", acercándonos de este modo, por así decirlo, al lado bueno de cada uno y de esta forma evitar la guerra.

Scientology, como palabra, es bastante necesaria ya que necesitamos un símbolo que se pueda identificar para representar estos descubrimientos particulares, la información y la metodología de su uso y para evitar cometer errores en la conversación. El tema del alma se presta fácilmente a cualquier rama de cualquier conocimiento, y para mantenernos bien orientados y circunscritos a la información aquí contenida, necesitamos la palabra.

Muy bien. Ahora que hemos anunciado (eso esperamos) nuestra situación política, o la falta de ella, y hemos comentado sobre lo que estamos haciendo, examinemos *lo que* estamos haciendo.

Estamos estudiando el alma o el espíritu. Lo estamos estudiando como tal. No estamos intentando usar este estudio para mejorar ningún otro estudio o creencia. Y estamos contando la historia de cómo fue que el alma necesitara ser redescubierta. Y ahora que la hemos redescubierto, también estamos descubriendo si la información así obtenida puede de alguna forma ayudarnos a vivir mejor; o bien, a morir mejor.

Así que puedes ver claramente que leer esto es muy seguro. No intenta alterar tus creencias ideológicas ni religiosas. Si éstas se alteran simplemente por leer esto, a nadie se debe culpar sino a ti mismo, pues el autor no tuvo la intención de interferir.

Desde luego, si *lees* esto, tus creencias ideológicas y religiosas se alterarán; no hay duda al respecto. Sin embargo, si se te ocurre la idea de culpar a alguien, recuerda que sin importar qué suceda realmente *nosotros* no *intentamos* en realidad cambiar tu patrón filosófico. Todo lo que intentábamos hacer, muy inocentemente, era darte algunos datos acerca del alma humana. Ni siquiera de tu propia alma; solamente del alma en general.

Bueno, se te ha advertido.

La historia comienza en los Laboratorios de Física de la Universidad George Washington en 1930. Por pura coincidencia, casi al mismo tiempo, el Profesor Brown, que estaba a cargo de esa facultad, se encontraba iniciando los experimentos que en los siguientes quince años darían como resultado la bomba atómica sobre la Tierra, en gran medida por la intervención del Dr. George Gamow, que era ayudante en este mismo laboratorio.

Sin estar consciente de la crueldad que se planeaba a unos cuantos metros de mí, yo estaba concentrado en un experimento acerca de la poesía. Bueno, en general la poesía tiene poco que ver con un laboratorio de física pero en esta ocasión sí tenía algo que ver. Al estarme especializando en ingeniería bajo cierta coacción, y estudiando física nuclear con escepticismo, mi tedio había encontrado alivio al concebir que uno podría descubrir por qué la poesía, en cualquier lengua, sonaba como poesía, ya fuera que uno hablara o no esa lengua.

Usando un viejo fotómetro de Koenig para medir las vibraciones de la voz, leía una línea de Browning y luego una línea de prosa en forma alterna, y estudiaba cualquier diferencia entre la simetría de las vibraciones de la poesía en contraste con la prosa. Poco después descubrí que había una clara simetría, y estaba a punto de formular una prueba más compleja cuando se me ocurrió que la mente *no* era un fotómetro de Koenig. Di un paso atrás y miré atentamente a la fea máquina con sus cuatro espejos y su montura de vidrio, y me dije que sería terriblemente incómodo tener eso funcionando entre un oído y el otro. *Pero* si uno no tenía un objeto así entre un oído y el otro, sí *tenía,* o al menos *debía tener,* algún tipo de mecanismo que transmitiera y midiera, no sólo el impulso del sonido, sino también la simetría de ese sonido. Y habiendo medido el sonido, ese algo llevaría a cabo la difícil tarea adicional no sólo de almacenar esa simetría, sino de recordarla y verla a voluntad.

Así nació una búsqueda; una búsqueda que duró un cuarto de siglo. Así nació la concatenación de intuición, observación y experimentación que finalmente redescubrió, como hecho científico, el alma, y adquirió métodos para hacerle cosas a ella, para ella y con ella, con certeza científica.

Abajo el fotómetro Koenig, el instrumento con el que Ronald condujo los primeros experimentos sobre la universalidad del ritmo poético

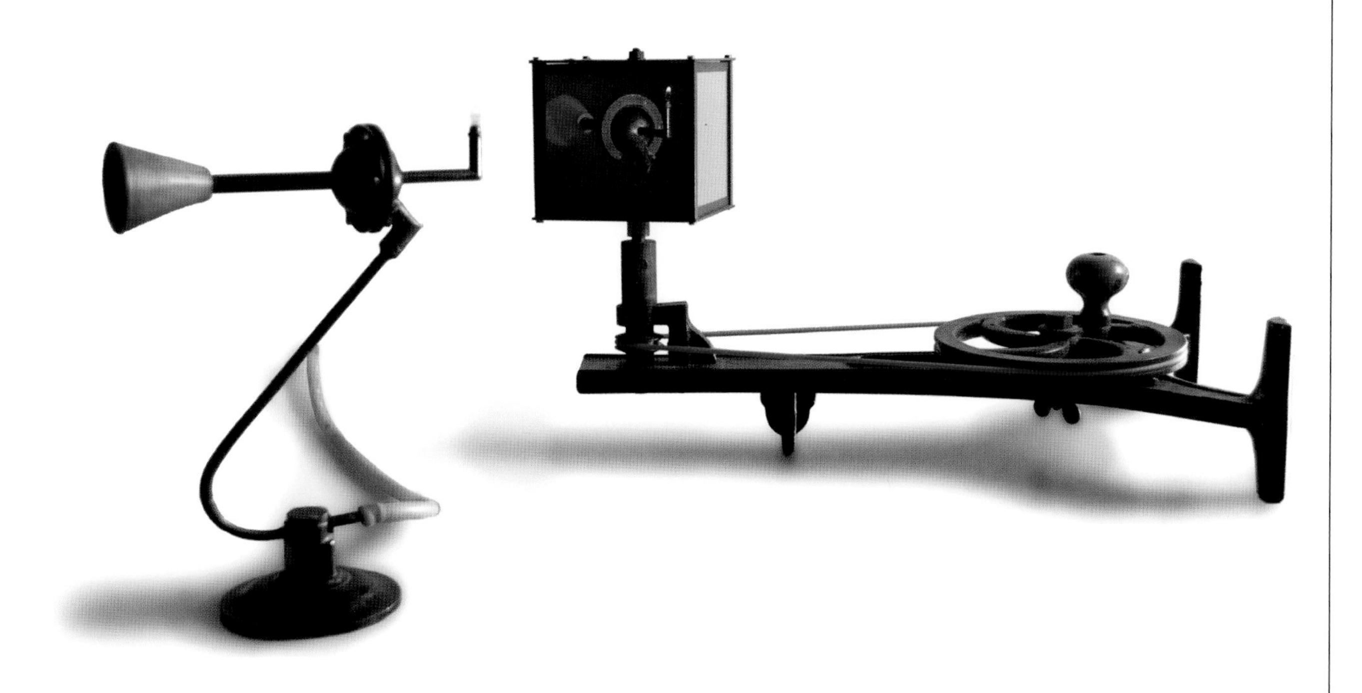

Pero aquí en 1930, cumpliendo mi condena de tedio en la Calle F, realmente no se tenía en mente ningún objetivo serio. Mi interés, debo confesar, se inclinaba más hacia volar planeadores en el Congressional Airport, importunar al profesorado con mis artículos en el periódico de la Universidad y asegurarme siempre de que la chica más solicitada del campus fuera la favorita de la asociación estudiantil de ingeniería (y mi pareja de baile, por supuesto).

Probablemente no habría salido nada en absoluto de mi búsqueda, si no hubiera tratado de resolver parte del problema haciendo una visita al temible, y algo demente, jefe de la facultad de psicología. Él, reservando sus opiniones acerca de sus compañeros, quería principalmente saber qué estaba yo haciendo fuera de la facultad de ingeniería y por qué no dejaba esas cosas a los psicólogos, como debía. Esto fue para mí un pequeño desafío. Como un joven sensible, malacostumbrado a la cortesía del Oriente en el que había pasado gran parte de mi época preuniversitaria, me oponía a que la gente fuera tan profundamente occidental. Y después de reírme de él en unas cuantas columnas del periódico de la Universidad, engatusé para que me dejara los textos de

psicología, a un estudiante que estaba haciendo esa especialidad (cuyos ensayos solía yo escribir en la clase de literatura); y estos libros me daban sueño, pero no comprensión, al estudiarlos arduamente durante las clases de alemán y topografía (que de cualquier manera me aburrían intensamente). Pero a pesar de que estudié y comprendí lo que leí, comencé a creer que la comprensión era un poco unilateral. Estos textos, al igual que la cortesía del decano de psicología, eran algo deficientes.

Al igual que la imagen de la imagen de la imagen en la caja de cereal, la psicología simplemente atribuyó todo esto primero al cerebro y luego a la célula. Sin ir más lejos, no describió tampoco ningún dispositivo de sonido, grabación ni recuerdo. Con desdén juvenil asigné la psicología a ese mohoso montón de farsas que tan a menudo hacen pasar por conocimiento sus tonterías polisílabas, y decidí pensar un poco más sobre el pensamiento: un truco, por no decir otra cosa.

En ese entonces, un estudiante que estaba estudiando una especialidad en biología y yo solíamos reunirnos después de clase (ah qué tiempos aquellos) en una taberna clandestina de la Calle 21, para una ronda de black

jack y un par de tragos. Y mientras él intentaba desviar mis ojos de sus ágiles dedos, me entretenía con detalles de lo que estaba pasando en el mundo de la biología. En una ocasión casi consiguió pasarme la carta que yo no quería, al comentarme que el cerebro contenía un número exorbitante de moléculas de proteína y que "se había descubierto" que cada molécula tenía orificios. Fascinado, le sonsaqué la información, y unos días después encontré tiempo para calcular la memoria.

Me pareció que si las moléculas tenían una cierta cantidad de orificios, entonces tal vez la memoria podía estar almacenada en estos orificios de las moléculas. Al menos esto era más razonable que los textos que había leído. Pero los cálculos hechos con matemáticas considerablemente superiores a las que usan los psicólogos o los biólogos, produjeron sin embargo un resultado poco productivo. Calculé que la memoria se "hacía" a una determinada velocidad y se almacenaba en los orificios de estas moléculas de proteína perforadas, en forma de la energía más minúscula de que tuviéramos registro en física. Pero a pesar del enorme número de orificios de moléculas y la cantidad adecuada de memoria, todo el proyecto sólo rindió este resultado: me vi obligado a llegar a la conclusión, sin importar lo generoso que yo pudiera llegar a ser, que incluso con este sistema, que sin duda alguna estaba por debajo del nivel celular, el cerebro no tendría suficiente capacidad de almacenaje para más de tres meses de memoria. Y como yo podía recordar cosas muy vívidamente, por lo menos antes de empezar el semestre, quedé persuadido de que, o bien la mente no podía recordar nada, o existían partículas de energía mucho más pequeñas que las que conocíamos en la física nuclear.

Resulta gracioso que una década después, esta teoría que yo había transmitido a un psiquiatra muy famoso con todo y cifras, regresó como un "descubrimiento" austriaco y fue ampliamente aceptada como verdad. Siempre me quedé perplejo sobre el descuido del psiquiatra al haber perdido esa última página que declaraba mediante los mismos cálculos que la mente no podía recordar.

Dejando todo esto a un lado por un buen tiempo, la física misma me hizo recordar mis cálculos. Hay algunos movimientos extraños que se pueden observar en los fenómenos atómicos y moleculares, que no se han explicado del todo. Y suponiendo que una energía "más pequeña" pudiera hacer estos movimientos entre las partículas más grandes, me encontré cara a cara con lo burdo que es el equipo de medición con el que siempre habíamos trabajado en física. Aun hoy, sólo tenemos corrientes de electrones, para "ver lo pequeño". Y yo estaba tan impactado por la enormidad de la *Terra Incognita* que la física aún no había invadido, que parecía mucho más sencillo hacer lo que finalmente hice: me fui y me convertí en escritor de ciencia ficción.

Al llevar la vida bastante romántica de un autor en Nueva York, Hollywood y el Noroeste, y saliendo al extranjero a adentrarme en culturas salvajes con expediciones para relajarme, hice poco en relación a mi búsqueda hasta 1938, cuando una experiencia bastante horrible llevó mi mente más cerca de mi objetivo que el seguir mi circuito mental normal. Durante una operación morí bajo la anestesia.

Retornado a la vida vivida de manera involuntaria por medio de una rápida inyección de adrenalina al corazón, atemoricé bastante a quienes me estaban rescatando al incorporarme y decirles: "Hay algo que sé, si tan sólo pudiera pensar en ello".

En mi cabaña en los bosques del Noroeste tuve bastante tiempo para pensar en ello. La experiencia me había enfermado lo suficiente como para mantenerme con ganas de leer; y durante algunas semanas no me alejé mucho de la tetera, la manta y los libros.

La alarma causada en aquellos "cercanos a mí" cuando procuré entretenerles con esta aventura sobre la muerte, me divirtió. No se inquietaron porque yo hubiera muerto, real y completamente, desde el punto de vista médico y forense; se consternaron de que yo hablara de eso. Decidí que este no era un tema popular y, sin embargo, investigué en la extensísima biblioteca en la que me divertía; y descubrí que este asunto no era desconocido en la experiencia humana y que un tipo llamado Pelley hasta había fundado un considerable estudio religioso sobre esto. Es muy posible que fuera al Cielo, regresara y viviera para contarlo.

Los textos psiquiátricos que mantenía cerca para poner nombres de dolencias impronunciables en boca de mis doctores de ficción, estaban tan alarmados como mis parientes cercanos. Daban a cualquiera de estas experiencias un nombre desagradable: "Delirio", y redactaban largos párrafos sobre lo malsano que éste era para la mente. Sólo en ese tema de lo malsano podía yo estar de acuerdo con ellos. Siempre he considerado, consideraré y consideré en aquel entonces, que el morir era malsano. También parecían opinar que las personas que morían, deberían permanecer muertas. Tras llegar a la conclusión de que como mejor se expresaba lo poco que sabían acerca de tales sucesos era mediante la cantidad enorme de material carente de conclusiones que escribían al respecto; recurrí a los filósofos clásicos. Y aunque ellos tenían mucho que decir, muy poco de esto iba al grado de manera concisa.

Después de vagar por unos doscientos veinte kilos de textos, me di cuenta de algunas cosas que alteraron mi vida bastante más que el simple morir. Durante esas semanas en la cabaña, mis estudios me forzaron hacia algunas conclusiones. Concluí primero que morir no había sido muy dañino. Segundo, que el hombre, como conjunto educado, sabía muy poco acerca del tema. Para bien o para mal, concluí que el hombre debería saber no sólo un poco más acerca del morir, sino mucho más acerca del hombre.

Y eso forjó mi destino. Ronald

L. RONALD HUBBARD HABLA DEL DESARROLLO DE SU FILOSOFÍA

En noviembre de 1958, a petición del Dr. Stillson Judah, profesor de Historia Religiosa, Ronald habló sobre el antecedente filosófico y los principios fundamentales de Dianética y Scientology. Aunque una parte de lo que se trató en esta conversación, por ejemplo el examen de la poesía realizado por Ronald, se ha mencionado anteriormente, la perspectiva es única, ya que el Dr. Stillson Judah era un hombre con una enorme curiosidad por las ideas, y a lo largo de esta conversación explora el grandioso trayecto de pensamiento de L. Ronald Hubbard.

También son profundamente relevantes aquí las declaraciones de Ronald acerca de lo que siguió al trabajo en Oak Knoll, incluyendo la publicación de Dianética: La Ciencia Moderna de la Salud Mental y, a partir de ahí, el reconocer "qué era lo que miraba los cuadros".

Doctor Judah: *¿Dónde comenzó el tema de Dianética y Scientology?*

LRH: En realidad, todo el tema nació de la ingeniería. Ambos temas brotaron de la ingeniería que estudié después de mis cinco años de estudio en el Oriente siendo muy joven.

Desde los dieciséis años hasta cerca de los veintiuno pasé una gran cantidad de tiempo en el Oriente y me familiaricé con varias escuelas orientales. Regresé y estudié ciencias físicas y religión, lo que me dio unos conocimientos de matemáticas y física. Estos conocimientos me enseñaron a pensar, espero, de una manera bastante disciplinada.

Mi interés básico era el campo de la religión. El budismo, el taoísmo eran fascinantes para mí. Sin embargo, no pensé que fueran muy buenos para la gente.

Dr. Stillson Judah

"Así que nos encontramos en medio de una ciencia moral y ética, que tiene que ver con el espíritu humano, ni más ni menos" —LRH, Washington, D.C., 1958

No era posible que tuvieran todas las respuestas, por esta razón: la gente que las practicaba era pobre, tenía mala salud y una pésima relación con el universo físico.

Así que casi totalmente por accidente, en 1932 estaba trabajando aquí en el laboratorio de la Universidad George Washington, e intentaba esclarecer la verdadera naturaleza de la poesía. No podía comprender por qué la poesía leída en japonés podía ser de manera obvia poesía para alguien que hablaba sólo inglés. ¿Por qué la poesía de diversos tipos era poesía, aún cuando se tradujera? ¿Qué era esta cosa llamada poesía? Un estudio interesante, por sí mismo.

"En 1938 pude ver que nadie había declarado, ni Darwin, ni nadie más en el campo de la evolución, el Principio Básico de la Existencia".

Así que tomé un fotómetro de Koenig, uno de esos pequeños fotómetros de gas que sostienes contra el diafragma mientras hablas y te da las vibraciones vocales. Hice gráficas de la poesía. Quise saber cómo respondía la mente a esos sonidos: *¿por qué* respondía la mente a esos sonidos? Y fue un estudio bastante interesante. No podía encontrar ningún fundamento real de por qué la mente respondía a ciertos sonidos y ritmos y no a otros. ¿Por qué la mente, por ejemplo, diferenciaba entre el ruido y una nota? Esto no me parecía un tema que se hubiera tratado en mi campo.

Me interesé lo suficiente como para ir al laboratorio de psicología de la universidad George Washington; en ese tiempo lo dirigía el Doctor Fred Moss. Me dejó perplejo. Antes había conocido al Doctor Thompson, que fue el primer psicoanalista de la Marina de Estados Unidos. Fue mi amigo del alma cuando yo era niño. En gran medida seguí sus pasos. Él estaba muy interesado en la psicoterapia, pero no le presté mucha atención a eso. Yo presté oídos. Y hasta el momento de esa entrevista con el Doctor Moss, yo no sabía esto: no sabía que no sabíamos.

Era algo muy extraño para alguien que había recibido una educación en las ciencias de la ingeniería (en donde sabes lo que sabes, cuándo lo sabes y cómo lo sabes) recibir un montón de aseveraciones que no aclaraban en nada mi problema. Yo era simplemente un ingeniero que confiaba en que todas las otras ciencias, aun las de las relaciones humanas, se entendían bien. Me topé con alguien que no pudo contestar mis preguntas. Leí todos los libros que pude encontrar en la Biblioteca del Congreso sobre la psicología y la mente. Encontré que estaba mirando un campo que no sabía lo que sabía. No lo sabía. Y fue algo desconcertante para mí.

Y me dirigí entonces hacia diferentes tipos de filosofías, mientras estudiaba ingeniería. Pero hice de esto una búsqueda muy positiva. No fue sino hasta 1938 que me convencí totalmente de que no sabíamos, de que no teníamos un Principio Básico de la Existencia, de que no había un lugar a partir del cual iniciar el estudio de la mente humana, del espíritu humano. Ni siquiera sabíamos qué era un espíritu. No teníamos una definición para ello. Decíamos a dónde iba el espíritu y qué le pasaría y cómo sería castigado, pero nunca dijimos qué era. ¿Cuál era su relación?

Estas preguntas podían responderse fácilmente. De ningún modo quiero hablarte como un orador, pero estas preguntas pudieron haberse respondido quizá en algún campo en algún lugar, en algún momento, pero yo simplemente no parecía encontrar las respuestas. Ya sea que fueran Nietzsche o Schopenhauer o Kant o cualquier otro de ellos, todos estos hombres estaban buscando a tientas.

Así que me dije una y otra vez: "Aquí hay un campo abierto de par en par".

Entre mi salida de la universidad y 1938, tuvimos una ...

Doctor Judah: *¿Qué universidad era esa?*

LRH: George Washington.

Doctor Judah: *George Washington.*

LRH: ¿Te acuerdas que estábamos en una depresión? Cualquier trabajo que me había sido ofrecido había desaparecido para cuando hubiera salido de la universidad. Y utilicé mis estudios de ingeniería en el campo de escribir ciencia ficción y demás. Hice toda una carrera como escritor de éxito antes de la Segunda Guerra Mundial. Estuve en Hollywood. Hice tres expediciones para estudiar a los pueblos primitivos y salvajes, y averiguar qué pensaban acerca de las cosas. Y las pagué con mis escritos. Me fue muy bien como escritor. Era el presidente del Gremio Estadounidense de Ficción. Pero durante todo este tiempo, lo único que estuve haciendo realmente fue tratar de pagarme la comida y mis gastos personales, pagar mi investigación y llegar finalmente a un punto donde tuviera alguna pista sobre este Principio Básico de la Existencia.

En 1938 pude ver que nadie había declarado, ni Darwin, ni nadie más en el campo de la evolución, el Principio Básico de la Existencia. Y dije: "para bien o para mal, voy a tener que formular uno para poder llevar a cabo cualquier tipo de investigación posterior". Porque todo lo que había hecho era observar signos de interrogación.

Y lo hice. La obra básica que escribí nunca fue publicada. Escribí una obra de 125,000 palabras y nunca ha visto la luz del día.

Doctor Judah: *¿Por qué razón?*

LRH: La consideré demasiado imprecisa. Fue un viaje a lo desconocido, simplemente un intento de explicar. Fue un intento de organizar el conocimiento teniendo como base un Principio Dinámico de la Existencia; de ver si eso podía darnos respuestas en el campo del espíritu. No tenía en mente mejorar a nadie, explicar la religión ni nada similar. Sólo era trabajo especulativo. Por supuesto, nunca se ha publicado; está lleno de errores y especulaciones y es una cosa más que brotó de la torre de marfil de la filosofía y no llegó a ningún sitio.

Me llevó a una comprensión, basándome en una evaluación, del Principio Dinámico de la Existencia: Sobrevivir o Supervivencia. Intenté de manera muy intensa formar evaluaciones en este tema para ver adónde llegábamos. Porque el común denominador que pude encontrar en todas las razas, tipos y actividades, fue la supervivencia. Todo el mundo parecía estar intentando sobrevivir. Y cuando ya no intentaban sobrevivir, entonces intentaban su opuesto: sucumbir. Y estos dos factores parecían ir juntos como los principios motivadores de la vida.

Empezó la guerra. Como yo conocía Asia, fui nombrado para formar parte de la inteligencia naval. A principios de la guerra, regresaron a casa a casi todos los que habían estado involucrados en ella y no volvieron a mandarlos allá. Así que me dieron el mando de una corbeta, y terminé la guerra como oficial de línea, por extraño que parezca.

Durante este periodo ocurrieron cosas tremendamente interesantes. Por ejemplo, tuve que estudiar temas de gran magnitud, temas enormes, durante todo ese tiempo. Tuve una tripulación compuesta en un cien por ciento de criminales. Todos eran criminales. Los acababan de sacar de Portsmouth, y los asignaron a esta corbeta. Cien hombres.

Y pasé el último año de mi carrera naval en un hospital naval. No muy enfermo, pero tenía algunos agujeros que no sanaban. Así que me dejaron ahí. Dondequiera que mirara, parecía encontrar hombres que estaban en dificultades, hombres que no podían encontrar la razón por la cual estaban ahí, no sabían lo que estaban haciendo. Y pensé: "Bueno, tal vez la respuesta se encuentra en el sistema glandular. Quizás esta es una respuesta relevante, después de todo". Me pasé la mayor parte de ese año en la biblioteca médica estudiando el sistema endocrino, tratando de averiguar si tendría algún resultado. Y cada respuesta me remitía al hecho de que el hombre estaba motivado por algo que yo todavía no había identificado.

Para ir al grano, después de la guerra volví a escribir, pero principalmente para Dianética y su preparación. Y encontré lo que estaba embrollando al hombre. Se estaba embrollando con combinaciones de cuadros de imagen mental. Y si pudieras hacer algo con los cuadros le podrías hacer algo al hombre. Muy interesante. Y entré en ese momento en terreno firme y seguro, en lo que a mí se refería. Había energía, los cuadros se podían medir, no eran imaginarios. Descubrí que eran mensurables, y los medí. Estábamos en el sólido campo de la ingeniería. Un campo muy bueno, muy satisfactorio: tenía las manos sobre algo de masa, podía producir un efecto positivo, y era posible encontrar el origen de las cosas.

Desafortunadamente, Hermitage House me persuadió para que escribiera un libro popular sobre el tema. Ese libro, *Dianética: La Ciencia Moderna de la Salud Mental,* se vendió, se vendió y se vendió y llegó a los primeros lugares en la lista de best sellers. El único problema fue que el editor me culpó de escribir exageraciones. Por qué lo hizo, no lo sé. De hecho, produje mucho dinero para su compañía, pero me trajo mucha vergüenza. Y la vergüenza fue esta: no tenía organización, no tenía finanzas, no tenía nada. Y de repente el mundo estaba tocando a mi puerta.

Doctor Judah: *Esta fue la nueva ratonera.*

LRH: Ah, fue la nueva ratonera, seguro. Llegaban estudiantes universitarios de todas partes del país; gente de todo el mundo. Y encontré que presentaban casos que nunca antes había visto. Presentaban dificultades más grandes que las que yo había visto. No sabía qué hacer con mucha de esta gente. Y sabía que mi estudio estaba muy lejos de estar terminado.

No tuve nada que ver con las primeras Fundaciones. Yo era un consejero o algo similar. Se puso mi nombre en el tablero como un honor más que cualquier otra cosa. Había mucha gente a mi alrededor que quería ganar una gran cantidad de dinero. Yo no pensaba lo mismo para nada. Yo quería obtener las respuestas a esto, y entre otras cosas, sacar mi reputación de problemas, y escribir un poco más de esta historia.

En el otoño de 1951 encontré qué era lo que miraba los cuadros. Teníamos los cuadros de imagen mental y hasta entonces habíamos estado estudiando estos cuadros y su comportamiento, que es la reacción, los mecanismos de estímulo-respuesta, con los que la psicología misma estaba familiarizada, pero que nunca analizó. Descubrí qué era lo que estaba mirando a las imágenes y lo describí, y descubrí que se podían hacer cosas con eso desde un punto de vista muy práctico, que nadie había hecho antes, y me encontré súbitamente en el campo de la religión. Lo quisiera o no, ahí estaba. Muy simple: *el alma humana era la persona.*

Esto, en buena medida, vino a trastornar las cosas, porque la mayor parte de las religiones le dicen a la gente: "Tienes que cuidar tu alma". Este no era el caso de acuerdo a mis hallazgos. La persona a quien yo le hablaba *era* un alma. La única razón por la cual yo sabía que estas cosas tenían valor era que ya conocía el budismo. Yo sabía durante cuántos años puede un budista sentarse y meditar, y cuánto tiempo puede trabajar un sacerdote lama para obtener un punto de vista de desapego sobre las cosas. Y descubrí que aproximadamente en el cincuenta por ciento de la gente con la que me topara, yo podía lograr este punto de vista desapegado sobre las cosas en cuestión de minutos. Así que supe que no estaba viendo un fenómeno raro, o una manifestación psicótica. La psiquiatría sabía algo al respecto pero sólo dijeron que era un signo seguro de locura.

Pero el hombre era su propio espíritu y, me gustara o no, estaba yo en medio de una religión. La primera organización que fundé en este campo en concreto fue en 1952 en Phoenix, Arizona. Se llamaba la Asociación de Scientologists Hubbard, y estaba compuesta de personas que se habían interesado mucho en este trabajo y querían ver que yo pusiera la función en marcha.

A partir de ahí, seguí trabajando para averiguar cuál era el comportamiento de esta cosa llamada espíritu humano. Y sentí que de alguna manera había tenido éxito. Al principio ni siquiera supe que estaba tratando con algo que no tenía masa. No pienses que no tuve que cambiar radicalmente, ya que me había acostumbrado a pensar en términos totalmente científicos y totalmente realistas. Cuando estaba trabajando con algo que yo no podía sentir, medir ni experimentar pero que estaba ahí, con toda seguridad iba a sentir, a medir y a experimentarlo para saber la razón del porqué. Y de hecho lo hice. En Londres, en 1953, construí un aparato que medía las respuestas de esta cosa cuando estaba exteriorizada del ser.

"Descubrí que se podía mejorar la bondad de un hombre mejorando al hombre. Y que él era más o menos básicamente bueno".

Finalmente quedé satisfecho con el hecho de que en realidad estaba viendo la cosa que miraba los cuadros; la cosa que experimentaba los cuadros; la cosa que motivaba los cuadros y me di cuenta de que a menos que mejoraramos al hombre espiritualmente, lo único que podría hacerse era cambiar sus patrones de conducta. No cambiábamos su deseo por querer hacer mejor las cosas. Quizás podríamos hacerlo mediante el castigo, pero a menos que tuviéramos un nuevo punto de vista por parte del individuo y una nueva capacidad para manejar su entorno y manejarse a sí mismo, habríamos tenido entonces un hombre malo o un hombre que se estaba deteriorando. Descubrí que se podía mejorar la bondad de un hombre mejorando al hombre. Y que él era más o menos básicamente bueno. Este fue un gran golpe de suerte, por lo que a mí respecta. Cuando liberas a un hombre y lo separas del castigo pasado, encuentras que es bueno. Eso fue algo en verdad fabuloso. Así que nos encontramos en medio de una ciencia moral y ética, que tiene que ver con el espíritu humano, ni más ni menos. Ronald

Washington, D.C.

Arriba La Oficina de L. Ronald Hubbard en la Iglesia Fundadora en Washington, D.C., que también se ha restaurado para que se vea como cuando Ronald dirigía un movimiento de rápida expansión de Scientology a lo largo de cuatro continentes

Derecha Área de Recepción del edificio en el número 1812 de la Calle 19, que ahora presenta una visión retrospectiva de la vida de Ronald en la capital de la nación; incluye en gran medida su senda inquisitiva en la Universidad George Washington, donde él sufrió una caída precipitada desde el acantilado del conocimiento conocido

Siguiente página, arriba La sala de conferencias y capilla de Washington, D.C.: lugar de las charlas históricas de LRH sobre los descubrimientos cruciales acerca del camino de desarrollo de Scientology. También fue aquí donde Ronald realizó los primeros servicios religiosos de Scientology.

Siguiente página, abajo Línea de reproducción de las conferencias de LRH: utilizando este conjunto de grabadoras y copiadoras Ampex, se duplicaron inicialmente las grabaciones de las conferencias de L. Ronald Hubbard para su distribución mundial

La Iglesia Fundacional original de Scientology, Washington, D.C., en el número 1812, de la Calle 19, ahora restaurada impecablemente en cada aspecto

CAPÍTULO CINCO

La ELUCIDACIÓN DEL MISTERIO DE LA MUERTE

La
Elucidación del Misterio de la Muerte

AL TRATAR EL FENÓMENO DE LA MUERTE, PROBABLEMENTE nos estemos ocupando de la pregunta filosófica más ponderada universalmente. Además, y en particular debido a que la población mayor de sesenta y cinco años en Estados Unidos se está duplicando, estamos tratando un tema en verdad preocupante.

Como introducción, regresemos brevemente a principios de 1952, cuando a raíz de Dianética, L. Ronald Hubbard declaró: "Cuanto más investigaba, más entendía que aquí, en esta criatura llamada *Homo sapiens,* había demasiadas incógnitas". En particular, mencionó "extraños anhelos" por tierras lejanas, curiosas memorias de épocas distantes, y aquellos que sin entrenamiento detectable, repentinamente y sin explicación alguna hablaban lenguas extranjeras. Además, y aquí está el punto crucial, pronto se registraron casos, de hecho docenas, de aquellos que después de recibir Dianética no habían mostrado el mejoramiento que se esperaba, hasta no haberse aliviado de las experiencias traumáticas que parecían haber correspondido a varias vidas.

Para percatarnos de lo que se estaba desarrollando, entendamos que si Dianética incluye "seguir las huellas de la experiencia" para descargar los traumas ocultos, entonces se encontró que es obligación del auditor de Dianética el tratar la suma total de esa experiencia, aun incluyendo, como Ronald explicó: "Fenómenos para los cuales no tenemos una explicación adecuada". Su primera declaración que se registró sobre el tema fue igualmente indecisa. En alusión a un caso donde se ofrecieron detalles muy convincentes de lo que por lo visto era una muerte previa, dijo simple y llanamente: "Tenemos que mantenernos sin prejuicios respecto a estas cosas", y no se comprometería más. No obstante, personalmente parecía no haber quedado convencido, y de manera razonable sugirió que lo que se conocía como secuencia de una vida pasada era imaginativo, y que tal vez representaba un medio para "refugiarse en un pasado ficticio". Pero en cualquier caso, y esto lo sostuvo con firmeza, el asunto claramente justificaba más investigación.

Para captar lo que siguió a esto se requiere una breve explicación de las circunstancias. No mucho después de la publicación de *Dianética: La Ciencia Moderna de la Salud Mental,* y tras una popularidad

Londres, Inglaterra, 1955

sin precedentes (el libro pronto llegó a la cima de las listas de best sellers, produjo titulares sensacionales y finalmente inspiró nada menos que un movimiento nacional), se había formado la primera Dianetics Research Foundation (Fundación de Investigación de Dianética) en la ciudad de Elizabeth, Nueva Jersey. A pesar de figurar de manera nominal entre los directores, Ronald se recluyó para seguir con la investigación, las conferencias y el entrenamiento de los estudiantes. La administración real de los asuntos de la Fundación recayó en otros, y dentro de ese acuerdo, él enfrentó una resolución de la junta que prohibía absolutamente cualquier otra discusión acerca de las vidas pasadas.

"Cuanto más investigaba, más entendía que aquí, en esta criatura llamada Homo sapiens, había demasiadas incógnitas".

Con toda justicia, quienes estaban detrás de aquella resolución de la junta de Nueva Jersey, de infame reputación en la actualidad, no deberían ser acusados de un prejuicio arbitrario. Después de todo, y en particular dentro de la sociedad occidental de mediados del siglo XX, la noción de una existencia pasada era de lo más extraño. Además, cuando se habla de quienes componían la junta de Nueva Jersey, incluyendo al Dr. Joseph Winter, médico de Michigan; el ex ingeniero de la Western Electric, Donald Rogers; y el editor de *Astounding Science Fiction (Ciencia Ficción Asombrosa),* John W. Campbell hijo, se habla de toda una cuadrilla inclinada a pensar de forma materialista. Campbell, por ejemplo, había forcejeado previamente con varias teorías complejas, que explicaban el pensamiento humano en términos estrictamente celulares, y por otra parte estaba interesado en particular en que Dianética permaneciera sobre un fundamento de índole científica aceptable; es decir, material. Mientras tanto, Winter, que tenía los mismos intereses políticos, en su función de director médico de la Fundación, continuó debatiendo que Dianética nunca alcanzaría verdadera aceptación (y fondos federales, de suma importancia) a menos que se amalgamara dentro del círculo de poder de la psicología y la psiquiatría estadounidenses... lo cual, a su vez, exigía que nada alterara el orden de un credo psicológico y psiquiátrico que definía nuestras vidas como un proceso puramente bioquímico que comienza con nuestro nacimiento y termina con nuestra muerte.

Se podría decir mucho más, incluyendo el hecho de que además de una aversión psicológica y psiquiátrica a cualquier evidencia de vidas pasadas, una buena parte del dogma cristiano se oponía a esa

El primer centro de Scientology para la Commonwealth Británica, también conocido como la Oficina de Comunicaciones Hubbard de Londres, hacia 1960

noción. El pensamiento es complejo y se halla muy profundamente enraizado en una ortodoxia cristiana donde el atractivo central era una esperanza de resurrección *física.* En resumidas cuentas, sin embargo, el argumento es este: si, como se sugiere en varios escritos gnósticos, el alma humana estuviera destinada a renacer, entonces, obviamente, la amenaza de una condena eterna tendería a perder su fuerza. Lo cual no quiere decir que el pecador no sufriera bajo la doctrina gnóstica. Por el contrario, la Tierra misma se convertía en el infierno sin fin para quienes vivían, vida tras vida, sin disfrutar de la gracia de Dios. Sin embargo desde un punto de vista estrictamente ecuménico, una doctrina de reencarnación tendía a minar la autoridad de la Iglesia como el único medio de salvación y vida eterna a través de la gracia de Cristo. Además, tendía a minar fuentes clave de ingresos para la Iglesia, las cuales definitivamente incluían la venta de indulgencias. Consecuentemente, vino la cancelación formal de todas estas doctrinas con el Segundo Concilio de Constantinopla en el año 553 D. C.

Por supuesto, nada de esto estaba presente dentro del pensamiento de Ronald. Más bien, sus intereses se mantuvieron puramente prácticos y determinados sólo por su viabilidad. ¿Se beneficiaban o no, los que recibían auditación al tratar lo que se percibía como experiencia traumática de una vida anterior?

Ningún otro factor, ya fuera político o filosófico, se consideraba pertinente. Aparte de eso (y esto en términos absolutos, dirigido a los miembros de la junta de la Fundación): "Ustedes no pueden aprobar resoluciones para decir lo que hay o no hay en la mente humana".

Se reproduce a continuación la nota introductoria a lo que se puede considerar como la culminación de esa búsqueda, *¿Ha Vivido Usted Antes de Esta Vida?,* de 1960. El texto consta de unos cuarenta casos en los que se usaron los procedimientos de auditación avanzados de Scientology para aliviar dificultades que provenían de vidas pasadas. Lo que esos casos nos dicen en un contexto filosófico más amplio es, sin duda, monumental, y atañe a toda nuestra existencia... incluyendo la sorprendente proposición que L. Ronald Hubbard expone con tanta franqueza: "Lo que lleguemos a crear en nuestras sociedades a lo largo de esta vida, nos afecta a lo largo de nuestra siguiente vida". Los resultados de aquellos procedimientos de auditación de Scientology fueron igualmente sorprendentes. Por ejemplo, hay bastantes casos documentados en los que a víctimas de la poliomielitis, inválidas y sin esperanza, se les hizo recuperar la movilidad completa después, *sólo* después, de que se trataran vidas pasadas. Por último, para aquellos que estén intrigados por esos detalles, estaba el caso subsiguiente de una joven scientologist que no sólo recordó las circunstancias de su vida pasada, sino el lugar exacto de su entierro. Después de eso, se dirigió al patio de una iglesia en el sur de Inglaterra y allí, exactamente como lo había recordado en el curso de su auditación, se encontraba la lápida sepulcral, de otra manera olvidada, con su nombre anterior. ■

"Lo que lleguemos a crear en nuestras sociedades a lo largo de esta vida, nos afecta a lo largo de nuestra siguiente vida".

La primera edición de *¿Ha Vivido Usted Antes de esta Vida?* que contiene un compendio de casos que recordaban una experiencia de vida anterior, esta fue una obra que fascinó a los lectores con una propuesta asombrosa sobre la inmortalidad.

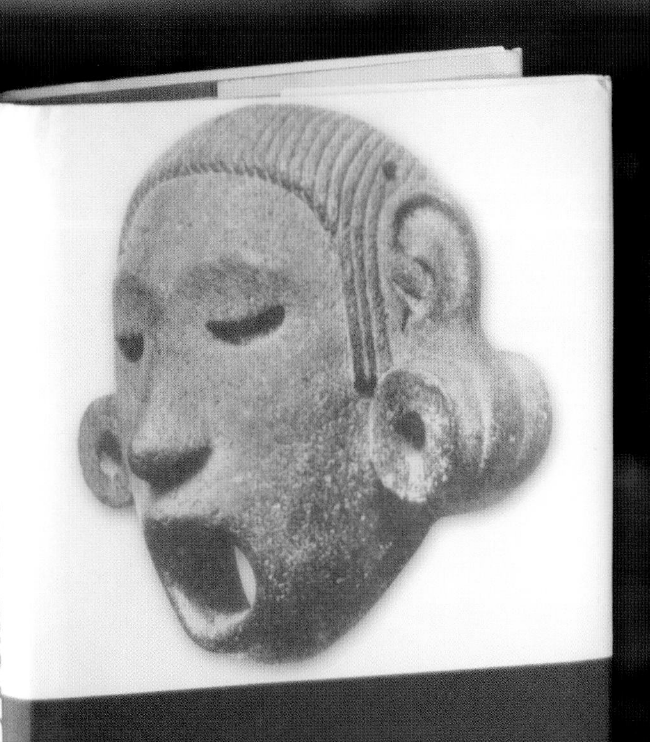
HAVE YOU LIVED BEFORE THIS LIFE?
HUBBARD
Have you lived
before this life?
by L. Ron Hubbard

IN
LOVING MEMORY
OF

UNA NOTA SOBRE LAS VIDAS PASADAS

de L. RONALD HUBBARD

LAS VIDAS PASADAS, o las épocas que hemos vivido antes, están ocultas por el dolor del recuerdo.

La memoria está contenida en cuadros de imagen mental que, al verse de cerca, pueden desarrollar una realidad "más real" que el tiempo presente.

Cuando una persona ha sido torturada o asesinada sin suficiente razón, la injusticia del hecho le hace protestar, manteniendo el cuadro suspendido en el tiempo.

Para devolverle a alguien la memoria de toda su existencia, es necesario subirlo a un nivel en que sea capaz de confrontar tales experiencias.

A una persona con amnesia se le considera enferma. ¿Qué sucede con una persona que sólo puede recordar esta vida? ¿No es este, entonces, un caso de amnesia a gran escala?

Las enfermedades psicosomáticas, como la artritis, el asma, el reumatismo, los problemas cardíacos y otros tantos que suman el setenta por ciento de las enfermedades de hombres y mujeres, son la reacción del cuerpo contra un doloroso cuadro de imagen mental o *engrama.* Cuando se quita este cuadro (si se trata del cuadro correcto), la enfermedad generalmente se mitiga.

El scientologist puede de hecho activar verdaderas fiebres y desactivarlas a base de reestimular los cuadros de imagen mental en una persona.

Se podría afirmar que una meta del procesamiento es la recuperación de la memoria completa.

Las vidas pasadas son "increíbles" sólo para aquellos que no se atreven a confrontarlas. Para otros, el hecho de una existencia anterior puede establecerse rápidamente en forma subjetiva.

Se han registrado numerosos casos interesantes desde que Dianética le dio impulso a Bridey Murphy. Uno de los casos fue el de una niña, de aproximadamente cinco años, quien al encontrarse en la iglesia, cuando todos habían salido, confió al clérigo que estaba preocupada por "su esposo y sus hijos". Parece que no los había olvidado después de "morir y dejar" otra vida cinco años antes.

El clérigo no hizo venir de inmediato a los tipos de bata blanca. Por el contrario, interrogó a fondo a la niña, que estaba verdaderamente preocupada.

Le contó que había vivido en un pueblo cercano y le reveló su nombre. Dijo dónde estaba enterrado su cuerpo anterior, le dio la dirección de su esposo y sus hijos, así como sus nombres, y le pidió que fuera allá para saber si estaban bien.

El clérigo hizo el viaje. Para gran asombro suyo, encontró la tumba, conoció al esposo y a los hijos y se enteró de las noticias del momento.

Al domingo siguiente informó a la pequeña de cinco años que los niños estaban bien, que el esposo se había vuelto a casar felizmente y que la tumba estaba bien atendida.

Ella se mostró muy satisfecha y le dio las gracias encarecidamente al clérigo: ¡y al domingo siguiente no podía recordar nada al respecto!

Las vidas pasadas no son "reencarnación". Esa es una teoría compleja, comparada con vivir simplemente época tras época, conseguir un cuerpo nuevo, perderlo con el tiempo y conseguir uno nuevo.

Como mejor se observan los hechos de las vidas pasadas, si a alguien le interesa investigarlos, es desde el punto de vista de un preclear en manos de un scientologist competente. No se recomienda el tratamiento hipnótico de estos hechos. Uno sólo aprende mediante niveles superiores de consciencia, no mediante niveles más profundos de inconsciencia.

Un divertido dato secundario acerca de las vidas pasadas es la fijación en "personas famosas". Esto, más que ninguna otra cosa, ha desacreditado el haber vivido antes. Siempre hay algún loco "que fue Napoleón", y alguna joven que fue "Catalina la Grande". Evidentemente, esto significa que la persona, habiendo vivido en la misma época que el personaje famoso, tuvo tan poco éxito que hizo un "dub-in" de la figura importante. Un scientologist que se encuentra inesperadamente con "Beethoven", después de que el preclear lo ha recorrido durante un rato, descubre que en realidad fue alguien que tocaba el organillo en aquella vida, ¡no Beethoven!

Pero todas las reglas tienen excepciones, y en cierta ocasión un scientologist encontró a un preclear que afirmaba haber sido Jim Bowie, el famoso colono y explorador que murió en el doblemente famoso Álamo, en Texas. Después de mucho trabajo y un gran escepticismo, ¡descubrió que realmente tenía allí a Jim Bowie!

Hay personas que han sido también animales, y tal vez algunos animales han sido personas. Evidentemente no existe una escala de avance gradual, como en las teorías de la reencarnación, pero hay casos registrados de preclears que sanaron después de que un scientologist les recorriera por completo su existencia como perro u otro animal.

Un caso, una chica psicótica, se recuperó cuando se le recorrió completamente una vida como un león que devoró a su domador.

Y también hemos conocido caballos y perros con "inteligencia humana". Tal vez fueron generales o ministros de estado que simplemente la estaban tomando con calma durante una o dos vidas para curarse las úlceras.

Observar a los niños tomando en cuenta el conocimiento de las vidas pasadas nos lleva a examinar nuestros juicios acerca de las causas del comportamiento infantil.

Evidentemente el niño recién nacido acaba de morir como adulto. En consecuencia, durante algunos años, es propenso a la fantasía y al terror y necesita mucho amor y seguridad para recuperar una perspectiva de la vida, con la cual pueda vivir.

La vida nunca es tediosa en las investigaciones y en la práctica de Dianética y Scientology. El lema es: *Lo que es, es,* no lo que quisiéramos que fuera. Ronald

Londres, Inglaterra

Arriba Oficina de L. Ronald Hubbard en Londres desde donde escribió sobre la forma de resolver las barreras a la memoria de la "línea temporal completa" en 1958

Derecha La primera Oficina de Comunicaciones Hubbard (HCO), donde estuvo el primer Organigrama

Siguiente página, arriba La recepción de Fitzroy como estaba cuando era el primer punto de partida estable para las comunicaciones de Ronald a nivel mundial

Siguiente página, abajo La estación de HCO desde donde las comunicaciones de L. Ronald Hubbard se transcribieron y se enviaron a remotos puestos de avanzada de Scientology a lo largo de sus años de formación

35/37 Fitzroy Street, Londres, Inglaterra: El centro comunitario original de Scientology que ahora también se ha restaurado como Patrimonio de LRH. Fue aquí donde Ronald estableció la sede de la Asociación de Scientologists Hubbard y de la primera Oficina de Comunicaciones Hubbard para conectar por télex las oficinas de Scientology a nivel internacional. También fue aquí, entre 1957 y 1959, donde empezó y realizó la codificación de un Puente de Scientology hacia la inmortalidad.

CAPÍTULO SEIS

EL PUENTE

El Puente

De manera muy sencilla (aunque sea la más extensa), L. Ronald Hubbard describe Scientology como un Puente entre los estados más bajos de existencia hasta niveles muchísimo más altos. Por debajo del Puente tenemos un abismo alegórico de olvido; arriba se encuentra una inmortalidad inquebrantable hacia la eternidad. Conforme uno asciende en El Puente a través de estados de consciencia y capacidad cada vez más elevados, uno literalmente trasciende la "condición de ser humano" hasta llegar a un lugar que sólo se ha descrito vagamente en la literatura antigua. De esa manera, Scientology se convierte en una experiencia religiosa en el sentido más elevado; es decir, en una completa transformación espiritual.

Izquierda Saint Hill Manor, Inglaterra, 1963

La imaginería en sí se remonta por lo menos cinco mil años y en cierta forma está presente en las tradiciones centrales del pensamiento místico de Asia y de Occidente. Implícito en la metáfora se encuentra un trayecto que, aunque peligroso, finalmente lleva a la persona desde una falsa impresión hasta una asombrosa iluminación. De ahí, El Puente, un sendero ampliamente accesible y fiable, que cruza un profundo vacío y lleva a una revelación infinita. Y de ahí la inmensidad de la senda de investigación de L. Ronald Hubbard entre 1959 y 1965.

El escenario fue la finca de Saint Hill Manor en East Grinstead, Sussex, Inglaterra. Siempre se ha considerado importante en la historia de Scientology y siempre lo será. Pues fue aquí donde L. Ronald Hubbard llevó a cabo la investigación más extensa mientras simultáneamente entregaba lo que hoy se conoce como el Curso de Instrucción Especial de Saint Hill, un estudio cronológico de los desarrollos técnicos de Scientology que incluyen aproximadamente cuatrocientas conferencias

Izquierda
Lo que siempre Será recordado como la casa de Ronald en Saint Hill Manor, Sussex, Inglaterra, 1960

que presentan en detalle su senda de investigación. Así pues, los primeros estudiantes del Curso de Instrucción seguían muy de cerca la senda del desarrollo de Ronald, conforme él se abría paso a través de los aspectos centrales de la mente reactiva para llegar a los panoramas asombrosos de Clear y más allá. Por lo tanto, aquí se encontraba la culminación de todo lo que él vislumbró cuando pidió un "puente mejor" en la última página de *Dianética: La Ciencia Moderna de la Salud Mental.* Y así, esta historia vuelve a su punto de partida.

Como nota adicional sobre las circunstancias y los procedimientos, Ronald solía trabajar todas las noches en su Sala de Investigación que estaba en el tercer piso y que ofrecía la extensa vista de los valles y colinas de Saint Hill. Sus asistentes recordaban que de vez en cuando escuchaban el tintineo de los tiralíneas gastados al caer en una papelera, mientras que por

la mañana, pilas de notas escritas a mano estaban esperando a los mecanógrafos. Las más importantes se transcribían en forma de boletines técnicos, que finalmente llegaron a ser aproximadamente 350 publicaciones que trazan cuidadosamente los procedimientos reales con los que progresar. Incluyen todos los mecanismos que activan la aberración humana, los muy evidentes y los sutiles. También incluyen todos los peligros potenciales y trampas. En ese aspecto, aquí tenemos un mapa a través del laberinto de misterios cautivadores que casi literalmente han captado la atención de los seres humanos desde el amanecer de los tiempos.

De ahí, la máxima de LRH:

"Esta alegoría se comunica con facilidad y es muy cierta. Al hombre, entonces, le ha hecho falta un puente por el que cualquiera pudiera viajar. Scientology es el primer puente. Es completo, detallado y seguro". ■

LOS ESTADOS DE EXISTENCIA

de L. Ronald Hubbard

El hombre es tan visiblemente hombre que en la mayoría de sus filosofías y en *todas* sus ciencias ha pasado por alto que hay más de un estado de existencia que el hombre puede alcanzar.

De hecho, hasta que aparecimos y les hicimos cambiar de idea, todos los psicólogos del siglo XIX *afirmaban* que el hombre nunca podría cambiar. Y describían sólo un estado de existencia: hombre mortal.

Si lo piensas por un momento, verás que hay muchos estados de existencia incluso en el hombre. Es rico o pobre; está sano o enfermo; es viejo o joven; está casado o soltero. Si el hombre puede alterar su estado de existencia como hombre, ¿podría ser algo distinto a un hombre? ¿O una mujer, o un niño o una niña?

Hay dos o más estados de existencia inferiores (y detestables).

El hombre con mucha frecuencia desciende al estado de ANIMAL como condición crónica. Tales cambios se pueden encontrar no sólo en los hospitales mentales, sino también en la vida. De hecho, desde 1870 los psicólogos han dicho que el hombre *era* un animal.

El hombre también puede cambiar a un estado de materia. Esto también se ve en los hospitales mentales.

Pero esos son estados inferiores. ¿Hay estados superiores y más felices?

Estos son la totalidad del horizonte y el logro de Scientology. *No* aspiramos a hacer cuerdo al demente. Aspiramos a convertir a un hombre en un ser superior.

Hay *muchos* estados de existencia aparte del de hombre. Esto lo han mencionado filosofías anteriores. Lo que es nuevo con respecto a Scientology es que un ser pueda alcanzar varios estados de existencia distintos en sólo una vida.

Este es un punto de vista tan original que no es de extrañar que algunas veces se malinterprete a los scientologists y se les tome por sanadores o psiquiatras.

De hecho, el hombre en general nunca ha pensado en esto antes. Que él personalmente y en esta vida pudiera convertirse en algo muy superior y mejor que un hombre, es algo completamente nuevo para él. Ha oído hablar de morir y de que su alma vaya al cielo o al infierno, y ha considerado las posibilidades de distintas formas: ha pensado que son buenas, aburridas o aterradoras.

Pero para el hombre de la calle, el oír que puede llegar a ser un ser superior es algo nuevo.

Algunos sabios del Himalaya, han trabajado en esta dirección. Siddarta Gautama (Buda) habló de ello. Se decía que quince o veinte años de duro trabajo daban como resultado una conclusión nebulosa.

En realidad hay nueve estados de existencia bien definidos superiores al *Homo sapiens*.

Un hombre enfermo pensaría que los mejores estados posibles serían un hombre sano o un hombre muerto. Y mientras que estos podrían ser (para él) estados deseables, sigue siendo HOMBRE.

Comunicación

El primer estado por encima de HOMBRE es un ser que puede comunicarse.

Instintivamente veneramos al gran artista, al pintor o al músico, y la sociedad en su conjunto los considera como seres que no son del todo ordinarios.

Y no lo son. Son superiores al hombre. Que nacieran así sin habérseles auditado no hace que sean seres menos superiores. Aquel que verdaderamente puede comunicarse con los demás es un ser superior que construye mundos nuevos.

La auditación puede lograr este estado superior de ser: alguien que puede comunicarse. Ese es un Liberado de Grado 0.

Problemas

Lo que distingue al hombre civilizado como HOMBRE es que está envuelto en PROBLEMAS que simplemente empeoran más cuanto más los "resuelve".

El ser que puede reconocer la verdadera fuente de los problemas y así ver cómo se desvanecen es demasiado extraordinario como para que se le comprenda con facilidad. El hombre *resuelve* los problemas. Un ser que está en un estado superior los mira y se desvanecen.

Hay aquí fenómenos fantásticos que antes de Scientology el HOMBRE nunca había examinado.

Cuando un ser puede hacer esto (hacer que los problemas se desvanezcan echándoles un vistazo), sin duda ya no es HOMBRE. Y los problemas que tienen los artistas son legendarios.

A un ser se le puede auditar para que sea capaz de hacer esto. Es un Liberado de Grado I.

Alivio

EL HOMBRE nunca ha sabido, excepto en alguno de los extraordinarios hacedores de milagros a los que consideraba santos, cómo procurar alivio a diversos males.

El secreto era que uno se asocia con aquello que detesta.

Ser capaz de procurar alivio a uno mismo y a los demás con facilidad, de las hostilidades y sufrimientos de la vida es una destreza que el HOMBRE sólo ha visto en los sanadores.

Ese alivio se consigue en Liberado de Grado II.

Mostrando la primera Tabla de Clasificación, Gradación y Consciencia, donde se delinean todos los niveles de El Puente de Scientology. Describe un camino en gradiente hacia estados de consciencia cada vez más elevados y en esa forma de hecho llega a ser un camino y un mapa al Puente.

CLASSIFICATION GRADATION AND AWARENESS CHART
OF LEVELS AND CERTIFICATES
VII
VI
CLEAR
V
IV
RELEASE
III
II
I
0
None
None
None
None

Libertad

EL HOMBRE está encadenado a los trastornos de su pasado.

Nunca ha comprendido por qué se sentía tan molesto e incomprendido acerca de su familia, la gente o las situaciones.

La mayoría de los hombres se concentra perpetuamente en las dificultades que ha tenido. Lleva una vida triste.

La libertad de los trastornos del pasado, con la capacidad de encarar el futuro, es casi una condición desconocida para el HOMBRE.

Se logra como Liberado de Grado III.

Capacidad

Las capacidades del HOMBRE tienden a estar especializadas de manera individual. Está tan absorto en alguna acción que es torpe al realizar otras.

El salir de una condición fija y ser capaz de hacer otras cosas se logra como Liberado de Grado IV.

Poder

EL HOMBRE rara vez puede manejar el poder. Huye de él o abusa de él. Cuando lo tiene, a menudo lo aplica en la dirección incorrecta.

Tenerlo y manejarlo se consigue como Liberado de Grado V.

Liberado de la Línea Temporal Completa

EL HOMBRE ni siquiera es consciente de su "línea temporal". Es una grabación de los momentos consecutivos de su vida, que se remonta tan atrás como ha vivido.

Su pasado es su "línea temporal". Hay tres condiciones relativas a ella. Al principio, un ser no es consciente de que tiene una línea temporal, después está fascinado por lo que descubre acerca de su propio pasado, y después encuentra qué hizo que él y la línea temporal fueran como son.

Algo de esto aparece a menudo en la auditación de niveles inferiores. Pero en este estado superior, uno llega a manejarlo.

En este grado, el estado es difícil de describir; está muy por encima de la experiencia común y está ausente por completo en toda la literatura del hombre.

Es Liberado de Grado VI.

Clear

Este estado se ha descrito a menudo en Dianética y Scientology. Siempre se ha subestimado.

Durante años, el estado de Liberado se tomaba incorrectamente por Clear e incluso se le llamaba Clear. Pero el tiempo ha revelado que el estado de Clear estaba muy por encima de cualquier cosa que se hubiera soñado antes.

El Grado VII no es un Grado de Liberado. Es un Clear.

Thetán Operante

Este término, "Thetán Operante", tiene significado sobre todo para los scientologists veteranos.

Con "Operante" se quiere decir "capaz de actuar y manejar cosas", y con "Thetán" se quiere decir el ser espiritual que es el yo básico. "Theta" en griego quiere decir pensamiento, Vida o espíritu.

Un Thetán Operante, entonces, es alguien que puede manejar cosas sin tener que usar un cuerpo de medios físicos. "Telekinesia" es un término culto para uno de los fenómenos de este estado.

Básicamente, uno es uno mismo, puede manejar cosas y existir sin apoyo ni ayuda físicos.

En realidad, este estado es simplemente "OT" pero se le numera como Grado VIII por comodidad. No significa que uno se convierte en Dios. Significa que uno se convierte por completo en uno mismo.

Exterior

Desde 1952 hemos sido capaces de hacer del hombre un ser espiritual en unos cuantos segundos.

Era sorprendente. También era inestable. Un minuto, un día o semanas más tarde la persona se convertía de nuevo en HOMBRE y a menudo la experiencia se recordaba sólo vagamente.

Hace poco resolvimos por qué sucedía esto. Es fatal sobrerrecorrer los procesos de un Grado una vez que se ha obtenido ese Grado. Se le pueden auditar a alguien los procesos de un nuevo Grado al que no ha llegado. Pero no el mismo Grado que ya ha alcanzado.

La sobreauditación (auditación más allá de un Grado de Liberado que se ha alcanzado) trastorna mucho a una persona. A menudo no sabe realmente por qué se trastornó. Mejoró, después volvió a empeorar.

Lo mismo ocurría con los procesos de "Thetán Exterior". Hacíamos que una persona se exteriorizara y *después la sobreauditábamos* con unas cuantas órdenes más. O la persona trataba de auditarse a sí misma para conseguir más "exteriorización".

Este estado, sin embargo, no es un estado de existencia distinto. Ocurre en muchos de los Grados de Liberado superiores como condición natural. Y es, por supuesto, sólo un adelanto de Thetán Operante.

Así que hay nueve estados de existencia definidos por encima del de *Homo sapiens,* y hay algunos estados intermedios como el Grado VA de la tabla.

Es difícil para el hombre captar siquiera que estos estados existen. Realmente no tiene ninguna literatura acerca de ellos ni ningún vocabulario para ellos.

Pero sí que existen.

Intenta alcanzarlos y verás.

Una vez que uno empieza a subir, no hay deseo de parar. El aroma de la libertad y de su realidad total después de todo este tiempo es demasiado fuerte.

Scientology se ocupa de los estados por encima de hombre y abre el camino con un Puente seguro y firme hacia el futuro. El camino se ha soñado en épocas pasadas. Para el hombre nunca existió hasta hoy.

Y hoy lo tenemos en Scientology. Ronald

Una filosofía, declaró L. Ronald Hubbard, sólo puede ser una ruta al conocimiento y si uno posee una ruta, entonces uno puede encontrar lo que es verdad para uno mismo. Eso es Scientology y esa es la perspectiva desde la cual escribió "La Filosofía Triunfa Después de 2,000 Años". Aunque es evidente por sí misma, recordemos lo siguiente: Cuando él alude a los filósofos griegos más famosos y respetados, está mostrando su reconocimiento a los creadores de la lógica occidental, la ética, las matemáticas y la sabiduría trascendental. Cuando discute el declive de los valores espirituales frente a la ciencia material, de nuevo se refiere a una situación desafortunada del hombre actual que cree que sólo es una recombinación química. El que decidiera hacer esta declaración en 1966 tiene un significado especial, ya que fue entonces cuando empezó a trazar la ruta hacia el estado de Thetán Operante, y por tanto hacia el reino de los reinos "que ni siquiera se ha mencionado en escritos anteriores".

FINALES DE FEBRERO DE 1966

LA FILOSOFÍA TRIUNFA DESPUÉS DE 2,000 AÑOS

de L. Ronald Hubbard

La filosofía no murió con la antigua Grecia.

De la Filosofía Natural de aquellos tiempos, surgió la ciencia.

Las maravillas de los coches cromados y de metal, de los aviones, de la bomba atómica e incluso de los satélites tienen sus raíces en la firme base de la filosofía griega.

Pero Sócrates, Aristóteles, Euclides, Tales, Heráclito, Parménides, Demócrito, Pitágoras, Platón, y todos los demás, no tenían en mente la fabricación de cosas materiales cuando le dieron a conocer su conocimiento al mundo.

Aunque todas estas grandes cosas se desarrollaron a partir del pensamiento y las matemáticas de los griegos, los grandes nombres de la filosofía consideraron que habían fracasado.

Y así fue: fracasaron. Hasta el día de hoy.

Porque su meta filosófica era la comprensión del espíritu humano y su relación con el Universo. Y sólo pudieron especular sobre esto. Nunca *probaron* su argumento de que el hombre era un espíritu con una vestidura de carne; sólo pudieron afirmarlo.

Y así se ahogaron en la avalancha de superstición que sumió al mundo en la era del oscurantismo.

¿Por qué fracasaron? Necesitaban las matemáticas superiores y la electrónica que, dos mil años después, desarrollarían a partir de sus filosofías.

Estas *fueron* desarrolladas. Pero se utilizaron para otros propósitos, y el hombre dio la espalda a sus elevados sueños, mientras construía aeroplanos para bombardear ciudades y bombas atómicas para acabar con una humanidad que nadie había comprendido jamás.

Hasta la llegada de Scientology.

Y en ella, las metas de la filosofía griega han vuelto a cobrar vida.

La Acrópolis de Grecia en Atenas; fotografías de L. Ronald Hubbard, 1961:
"La filosofía no murió con la antigua Grecia"—LRH

La Acrópolis, 1961: *"Hemos alcanzado la estrella que ellos vieron. Y sabemos lo que es".* —LRH

Usando los avances modernos de las ciencias resultó posible abordar de nuevo los problemas fundamentales. ¿Qué es el hombre? ¿Cuál es su relación con el universo? ¿Qué es el Universo?

Scientology, tras un tercio de siglo de investigación y búsqueda cuidadosas, puede responder, con verdad científica, esas preguntas y demostrar las respuestas.

Esto es bastante sorprendente.

Nos hemos alejado tanto de Tales, Heráclito, Parménides y Demócrito que casi hemos olvidado lo que trataron de descubrir. Pero si consultas los escritos de las obras que escribieron hace más de dos mil años, verás lo que era.

Querían que el hombre tuviera conocimiento. No fracasaron. Ellos, los griegos de la antigüedad, pusieron unos cimientos firmes sobre los que se pudiera construir. Y más de dos mil años después, nosotros podemos proporcionar todas las pruebas que ellos necesitaban.

Esas pruebas, sus verdades y su gran potencial de mejoramiento para el individuo y para toda la humanidad son, hoy en día, una tarea terminada en Scientology.

Hemos alcanzado la estrella que ellos vieron. Y sabemos lo que es. Descubrirás su valor cuando te vuelvas un scientologist, un ser que ha llegado a conocerse a sí mismo, a la vida y al Universo, y que puede echar una mano a los que le rodean para que alcancen las estrellas. Ronald

Escrito como una parte acompañante de "La Filosofía Triunfa después de 2,000 Años", el artículo de Ronald de 1966 titulado "Las Respuestas de Scientology" termina con la declaración: Hemos alcanzado la estrella que vieron los antiguos. Es significativo que el panorama que se presenta aquí sea una libertad que supera por mucho lo que imaginaron los filósofos de la antigüedad, ya que aquí tenemos una libertad espiritual que uno puede experimentar crea o no en ella, y ese es punto central de Scientology.

Finales de febrero de 1966

LAS RESPUESTAS DE SCIENTOLOGY

de L. Ronald Hubbard

El hombre se ha hecho un gran número de preguntas sobre sí mismo.

Preguntas como: "¿Quién soy?". "¿De dónde vengo?". "¿Qué es la muerte?". "¿Hay un más allá?".

Cualquier niño hace estas preguntas, sin embargo el hombre nunca ha tenido respuestas que lo hayan satisfecho durante mucho tiempo.

Las religiones tienen varias respuestas a estas preguntas y pertenecen de hecho al campo de la filosofía religiosa, ya que esta es el área de conocimiento del hombre que ha intentado responderlas.

Las respuestas han variado a través de los siglos y de raza a raza, y esta variación es por sí sola el escollo que introduce incredulidad en las creencias. Las religiones antiguas se desvanecen porque la gente ya no encuentra que sus respuestas a las preguntas anteriores sean muy reales.

El declive del cristianismo está marcado por la moderna actitud suspicaz respecto a un infierno en el que uno arde durante una eternidad y un cielo en el que uno toca el arpa para siempre.

Las ciencias materialistas han buscado invalidar el campo de la religión en su totalidad, descartando la cuestión con respuestas igual de imposibles según las cuales uno es sólo carne y toda vida surgió de la combustión espontánea y accidental de un mar de amoníaco. Tales "respuestas" se parecen más a la India prebudista en la que se creía que el mundo estaba sostenido por siete elefantes que descansaban sobre siete columnas, las cuales estaban colocadas sobre una tortuga y, en desesperación ante la pregunta del niño respecto a sobre qué se encontraba la tortuga, respondieron: "¡En fango! ¡Y no hay más que fango de ahí hacia abajo!".

Es característico de la Verdad que si uno la conoce, llega a entender muchas cosas más. La enfermedad y decadencia de Asia tienden a invalidar sus conceptos como Verdad; y en Occidente, la guerra, donde los soldados veían "Gott Mit Uns" en las hebillas de los cinturones de los enemigos muertos, tendía a acabar con el dominio de las iglesias de esos tiempos, pues Dios no podría estar en ambos bandos de tal obra del diablo, o al menos eso creían los soldados.

Atenas vista desde la Acrópolis, 1961

Incluso el gran mandamiento de Cristo de "Ama a tu prójimo" parece tener menos ímpetu hoy en día en un mundo de impuestos sobre la renta, inflación y la matanza de poblaciones civiles en nombre de la paz.

Por esta razón, sin condenar o despreciar de ninguna manera las creencias de ningún hombre, Scientology surgió de las cenizas de una ciencia despojada de espíritu y de nuevo preguntó (y respondió) las preguntas eternas.

El que las respuestas tengan la fuerza de la Verdad se confirma con los resultados. En vez de la enfermedad de una India religiosa, los scientologists rara vez se enferman. En lugar de guerra interna tal como los motines de Alejandría, los scientologists viven relativamente en armonía unos con otros y tienen destrezas para restaurar las relaciones rápidamente.

"Por primera vez en todos los siglos hay algo que en esta vida proporciona las respuestas a las eternas preguntas y proporciona al mismo tiempo inmortalidad".

El mundo tiende a atacar cosas nuevas y Scientology ha tenido bastantes problemas a causa de grupos y gobiernos con intereses creados, pero sigue elevándose triunfante tras cada choque, sin amargura.

Mediante la práctica de Scientology surgen diversos resultados de interés. La inteligencia de la persona aumenta, y su capacidad para resolver sus problemas mejora notablemente.

Uno no tiene que estudiar Scientology durante mucho tiempo para saber que no es necesario morir para descubrir lo que uno es, o adónde va a ir después de la muerte, pues *uno puede experimentarlo* todo por sí mismo sin tener que ser persuadido, hipnotizado o "tener fe".

Así que Scientology es diferente principalmente porque uno no tiene que *creer* en ella para que funcione. Sus verdades son del tipo de "¿Es esto negro?". "¿Es esto blanco?". Puedes ver por ti mismo que algo es negro si es negro, y que algo es blanco cuando es blanco. No se necesitan trucos de lógica para probar ninguna cuestión y los scientologists sólo le piden a la gente que vea por sí misma.

Por lo tanto, al igual que la ciencia, Scientology puede lograr resultados invariables y con certeza. Dadas las mismas condiciones, uno siempre logra los mismos resultados. Y cualquiera, dadas las mismas condiciones, puede obtener los mismos resultados.

Lo que ha sucedido es que la *superstición* ha sido eliminada del tema del espíritu. Y hoy en día, esta es una situación muy aceptable para el hombre.

La libertad máxima depende de conocer la verdad máxima. La Verdad no es lo que la gente *dice* que *es,* es lo que *es.* Y la Verdad, de manera bastante extraordinaria, lo libera a uno, tal y como los filósofos han afirmado a lo largo de los siglos.

Lo que los filósofos *no* dijeron fue lo libre que uno podría llegar a ser. Y esa es la sorpresa que contiene Scientology para cualquiera que avance por el Camino hacia la Verdad: *puedes* ser totalmente libre.

Naturalmente, esto no resulta ser una noticia agradable para la persona que quiere que los credos esclavistas, fascistas, capitalistas y hasta algunos credos más liberales prohíban eso por completo, pues ¿quién sería amo (o al menos eso piensan) cuando ningún esclavo lleva sus cadenas? Se les escapa el verdadero significado del asunto, porque *¿qué* necesidad hay de ser un amo?

Cuando tú mismo posees la Verdad, las sombras que te atan tienden a desvanecerse.

Y cuando finalmente sabes por ti mismo, por tu propia experiencia, que Scientology tiene de hecho las respuestas; una vez que has aplicado estas respuestas, logras el resultado que todos los filósofos, eruditos, sabios y maestros siempre han soñado... y la libertad también.

Scientology es verdad para ti en el grado en que la conozcas. Aquellos que sólo conocen su nombre reaccionan ante la esperanza que representa. Y al avanzar por el camino, uno conoce más y más de ella y se vuelve más y más libre. A diferencia de tantas promesas que se le han hecho al hombre y que le han hecho tener miedo a la desilusión, Scientology entrega lo prometido. Quizás sea un camino accidentado. Quizás sea un camino liso y llano. Pero Scientology finalmente entrega todo lo que dice que puede entregar.

Y eso es lo que es nuevo de ella y la razón por la que crece. Ninguna otra religión que se le haya dado al hombre jamás, ha entregado lo que prometía. Todas esperaban hasta después del final a que uno encontrara su arpa o su Nirvana.

Por primera vez en todos los siglos *hay* algo que en esta vida proporciona las respuestas a las eternas preguntas, y proporciona al mismo tiempo inmortalidad. Ronald

Al reconocer nuestra inmortalidad, nuestra bondad esencial y nuestras capacidades inherentes, Scientology se convirtió en "un ejercicio religioso pertinente al espíritu del hombre y a su libertad espiritual". Además se puede definir como "el estudio y el manejo del espíritu en relación consigo mismo, con los universos y con otra vida", y comprende "una sabiduría en la tradición de diez mil años de búsqueda en Asia y en la civilización occidental".

Más allá de estos enunciados, no basta ninguna apreciación intelectual. Después de mil años de doctrina cristiana, es bastante fácil formarse un concepto del cielo del cristianismo. Mientras que dada la preponderancia de la teoría científica en el siglo XX, es aún más fácil imaginar nuestras vidas en términos estrictamente materiales: esforzándonos por una felicidad medianamente razonable hasta que nuestra corteza cerebral se deteriore y nos sumerja en la absoluta inconsciencia para siempre. Pero sin tener cierta experiencia subjetiva, incluso L. Ronald Hubbard, en esta sucinta y perfecta manifestación de 1966, sólo puede sugerir el "reservado asombro" de todo lo que ofrece Scientology.

DIANÉTICA, SCIENTOLOGY Y MÁS ALLÁ

de L. Ronald Hubbard

Por miles de años, el hombre ha buscado el estado de completa libertad espiritual del interminable ciclo de nacimiento y muerte, así como la inmortalidad personal que incluye la consciencia, memoria y habilidad plenos, como espíritu independiente de la carne.

Este sueño en los tiempos de Buda se llamaba "Bodhi", que es el nombre del árbol bajo el cual Buda logró ese estado.

Pero debido a la presencia desconocida de la mente reactiva y su efecto, tanto sobre el espíritu como sobre el cuerpo, estos periodos de libertad eran difíciles de alcanzar y como hemos descubierto, eran temporales.

Además, muy pocos podían alcanzar siquiera ese estado temporal y quienes lo alcanzaron, lo hicieron después de décadas de abnegación y disciplina personal.

En Scientology ese estado ha sido alcanzado. Se ha alcanzado no de forma temporal, sujeto a recaídas, sino en un nivel estable de total consciencia y habilidad, que no se desvirtúa por accidentes o por deterioro. Y no es limitado sólo a unos cuantos.

Al erradicar la mente reactiva, no sólo logramos borrar, en el estado de Clear, la aparente maldad en el hombre, que es básicamente bueno, sino hemos vencido las barreras que hacían tan difícil el alcanzar la independencia espiritual y la serenidad absolutas.

Llamamos a este estado "Thetán Operante". *Operar* algo es ser capaz de manejarlo. *Thetán* viene de la letra griega "theta", el símbolo tradicional de los filósofos (de la letra "theta", θ, del alfabeto griego) para pensamiento, espíritu o vida. Por ello, significa un ser que como espíritu en sí, puede manejar las cosas.

La definición del estado de Thetán Operante es "ser causa, a sabiendas y a voluntad, sobre la Vida, el Pensamiento, la Materia, la Energía, el Espacio y el Tiempo".

El legendario Pórtico de las Cariátides, Atenas, Grecia, 1961:
"Thetán viene de la letra griega 'theta', el símbolo tradicional de los filósofos para pensamiento, espíritu o vida"—LRH

Como el hombre es básicamente bueno, a pesar de sus reacciones malignas a su mente reactiva, un ser que es Clear está dispuesto a confiarse a sí mismo tales habilidades. En todo caso, nadie puede tener más poder del que es capaz de controlar.

En Scientology, un Clear puede avanzar hacia Thetán Operante, no en las décadas que se requerían para alcanzar siquiera un estado temporal en épocas pasadas, sino en un periodo de unos meses, o como máximo, un año aproximadamente. Y cuando alcanza ese estado, ya no está sujeto a los decaimientos repentinos e inexplicables, como ocurría hace 2,500 años. Es capaz de alcanzar y conservar esa condición deseada.

Una de las cualidades más importantes de un Thetán Operante es la inmortalidad y la libertad personales y el pleno conocimiento de ellas, ante el ciclo de nacimiento y muerte.

El concepto es demasiado amplio para captarse de inmediato, pero es principalmente porque uno ha tenido esperanzas y esas esperanzas se han convertido en desesperación, y su desesperación se ha convertido en apatía total con respecto a ello, en demasiadas ocasiones a lo largo de los siglos, como para hacer más que manifestar un reservado asombro.

Pero la ruta es verdadera, se ha marcado con claridad y lo único que se necesita hacer es poner el pie en el primer peldaño de la escalinata de Dianética, subir a través de Scientology hasta llegar a Clear y después ascender hasta las estrellas y más allá.

Es imposible exagerar la importancia de esta noticia. Hace 2,500 años una declaración similar, pero casi imposible de lograr, trajo la civilización a tres cuartas partes del continente asiático.

Sin embargo, día tras día, los Clears que se inscriben en el "Curso de Thetán Operante" ascienden por esa escalinata y ya han empezado a alcanzar las estrellas.

Es totalmente cierto. Y en realidad se puede obtener con la ruta claramente marcada de la Scientology moderna. Ronald

Cuando consideramos todo lo que Dianética y Scientology representan para el hombre común y olvidado, no es muy sorprendente que L. Ronald Hubbard encontrara oposición. En los términos más sencillos, habla de una élite de poder que se inquieta por un movimiento donde "personas comunes y corrientes del mundo, perduran y se convierten en filósofos de la noche a la mañana, sin estar afectados, de repente, por las sombrías amenazas de sus 'superiores'". En forma ligeramente más detallada, también habla de una comunidad internacional de psiquiatras que se oponen a cualquier movimiento espiritual que impulse la libertad individual, especialmente una que logre un incremento mensurable en la inteligencia y la capacidad. Una vez más, habla de un esfuerzo de la inteligencia psiquiátrica no sólo para enterrar a Scientology sino para apoderarse de ella... Y los registros lo corroboran.

Pero la cuestión primordial se condensa en lo que presentamos aquí con: "Mi Única Defensa por Haber Vivido", de L. Ronald Hubbard. Data de 1966, o cuando una inteligencia británica desleal conspiró con el entonces gobierno del apartheid de Sudáfrica para mantener las herramientas de alfabetización de LRH fuera de las escuelas africanas para gente de raza negra, preservando así el dominio de los blancos sobre las minas de diamantes. Profundamente personal e inmensamente poderosa, permítasenos simplemente describirla como una declaración de un hombre cuya vida no se puede divorciar de sus convicciones filosóficas.

15 DE AGOSTO DE 1966

MI ÚNICA DEFENSA POR HABER VIVIDO

de L. Ronald Hubbard

Las únicas pruebas de si una vida se ha vivido plenamente son: ¿realizó uno lo que se propuso? Y la otra, ¿se alegraron los demás de que uno existiera?

Con frecuencia, la gente ha querido que escribiera una autobiografía, y aunque estaría completamente dispuesto a hacerlo, si tuviera tiempo, considero a ese trabajo, como a mí mismo, sin importancia alguna. He llevado una vida llena de aventuras y posiblemente sería amena de leer, pero dudo que una obra de ese tipo arrojara alguna luz de fondo sobre mis investigaciones y no clarificaría mis intenciones o por qué desarrollé Dianética y Scientology.

Mis motivos no han sido la fama. En 1949 intenté entregar *Dianética,* la obra completa, a la Asociación Médica Americana y a la Asociación Psiquiátrica Americana. La primera sólo dijo: "¿Por qué habría usted de hacerlo?" y la segunda: "Si es importante, oiremos hablar de ello". Hasta julio de 1950 intenté evitar el mencionar que había llevado a cabo la investigación personalmente, pero posteriormente reconocí la autoría del descubrimiento cuando vi que si no tuviera dueño, podría perder su forma original.

Mis motivos no han incluido amasar una gran riqueza. Las regalías del Primer Libro, *Dianética: La Ciencia Moderna de la Salud Mental* se entregaron a la Primera Fundación. Así que no se trata de riqueza.

El poder no ha sido mi motivo. Sólo ocupé cargos administrativos en las organizaciones con el fin de insistir en el uso correcto de la obra, y una vez logrado esto, renuncié a todos los cargos de dirección y mantuve sólo un puesto honorario. Además, uno no puede tener más poder del que ya tiene como ser; así que el poder por razones de posición, lo considero algo inútil y una pérdida de tiempo.

Mis motivos son tan difíciles de comprender debido a que en gran parte me excluyen de la situación. Y no es probable que los hombres egocéntricos entiendan eso, ya que *ellos* saben que no renunciarían a la fama, a la riqueza o al poder, y por lo tanto creen que otro no lo haría.

Tratar de comprenderme a mí o a Scientology por medio de la narración de las aventuras de mi vida es una acción más bien inconexa. Yo soy yo mismo, no mis aventuras. He atravesado el mundo estudiando al hombre con el fin de comprenderlo; y *él,* no mis aventuras al hacerlo, es lo importante.

Siempre he actuado con la idea un tanto ingenua de que mi vida me pertenecía para vivirla de la mejor forma en que fuera capaz. Una vida no es siempre fácil de vivir. Cuando la vida de uno se convierte en "propiedad pública", como parece que le ha sucedido a la mía, uno se encuentra poco dispuesto y ni siquiera inclinado a explicarlo todo. La vida de uno se ha vivido, no se puede dar marcha atrás y ahí está. Los *resultados* de haber vivido son, entonces, de alguna manera, lo único que cuenta.

Nunca consideré que valiera la pena vivir una vida creíble, ya que esas son concesiones que le niegan a uno su propia integridad.

Además, intentar explicar las invenciones técnicas de un científico por la manera en que toca la mandolina es, por supuesto, lo que sólo haría una persona muy obtusa; sin embargo, la gente intentará hacerlo.

El problema con mi vida es que ha estado llena de aventuras y sería, posiblemente, una lectura interesante para los amantes de las novelas de aventuras.

Uno no estudia al hombre de forma satisfactoria desde una torre de marfil, y parte de mis intenciones ha sido vivir una vida muy plena en muchos niveles sociales, con el propósito de comprender al hombre. Y eso, lo he logrado.

No puedo decir que me han gustado todas las cosas que hacen y dicen los hombres. Pero puedo decir que, a pesar de las muchas razones para no hacerlo, he perseverado ayudando al hombre todo lo que he podido y he continuado siendo su amigo.

Hace mucho que dejé de hablar acerca de mi vida real. Aprendí hace mucho tiempo que el hombre tiene sus estándares de credulidad; y cuando la realidad entra en conflicto con esos estándares, se siente desafiado.

Por ejemplo, sabía leer y escribir cuando tenía tres años y medio. Podía leer mentes y predecir el futuro con gran precisión. Tales logros asombran a la gente y en esta vida, pronto aprendí a guardar mis propias habilidades para mí mismo pues de lo contrario, encontraría que la sociabilidad era algo imposible.

Crecí en la frontera, entre la fuerza física y la adoración al músculo, y aprendí a vivir en ese mundo desordenado, a no morir en una tormenta de nieve a veintidós grados bajo cero o a no perder mis propios estándares en una sociedad bárbara donde la agonía era algo divertido para la gente. Esto llevó consigo sus propias leyendas y viví mis aventuras, pero aprendí a contar el cuento atenuado.

Justo cuando me había aclimatado al Viejo Oeste en esta vida, fui trasladado al Pacífico Sur y a Asia, a un mundo de cortesía y modales delicados, y tuve que adoptar un nuevo patrón de supervivencia.

No había acabado de aprender esto cuando me encontré, en contra de mi voluntad, en el mundillo universitario estudiando ingeniería y matemáticas, y aprendí nuevas lecciones sobre relaciones sociales. Tuve bastante éxito en esto, llegando a ser director de varios clubes y sociedades universitarias. Pero al adaptar unas matemáticas muertas a nuevas aplicaciones modernas, ataqué tanto los prejuicios de mis profesores, que pensaban que las matemáticas muertas no deberían tener ninguna aplicación, que aprendí una vez más acerca de nuestro mundo. Fui ridiculizado o desaprobado con tanta frecuencia por escribir o buscar la verdad, como para nunca sentir demasiada afinidad por las torres artificiales del aprendizaje, tan alejadas de la vida. Decidí ir a estudiar otras razas, organicé una expedición y me hice a la mar en una vieja goleta de cuatro mástiles en vez de continuar por más tiempo en el mundo académico. Me dan gracia aquellos que me condenan por no haber estudiado en la universidad un tema que no se enseñaba allí y que tuve que desarrollar para llenar el vacío en el conocimiento del hombre sobre sí mismo. Las respuestas no estaban en los libros de filosofía que estudié. Era necesario buscarlas en el mundo real.

Escribí, viví, viajé, prosperé, aprendí. Desafortunadamente no pude evitar totalmente hacer cosas espectaculares. No me parecieron espectaculares hasta que las vi desde el punto de vista de los demás. Y de esa manera comencé a trabajar muy duro para contar la historia de forma atenuada, para hacer lo que debía para aprender acerca del hombre y ayudarle como pudiera, y aún así no ver ojos desorbitados de incredulidad, hasta de shock, cuando alguien en el Club de Exploradores me presentaba como alguien que había lazado a un oso Kodiak, escalado un volcán para ver su erupción de cerca, o como el protagonista de alguna otra hazaña. Me torné cauteloso a la hora de contar mis anécdotas, pero estaba observando la vida y viviéndola con el propósito de experimentarla; y lo que me sucediera a *mí* era totalmente secundario.

Cuando ves un cuerpo estudiantil de aspirantes a escritor prácticamente asediándote por decir que, de hecho, escribes cien mil palabras cada mes como meta; cuando cuentas lo que para ti es una simple verdad, y sin embargo te das cuenta de que los demás lo consideran increíblemente extraordinario, te vuelves cauteloso en lo que respecta a narrar de nuevo los siguientes incidentes que forman parte de tu vida cotidiana. Terminas pensando que los demás no tienen una vida cotidiana como esa y así, al no querer parecer extraño, simplemente dices menos. Y cuando dices algo, cuentas lo que esperas que sea común y corriente y ligeramente entretenido.

El material para una autobiografía es abundante. Pero, ¿quién lo leería como una narración honesta? Y por eso no la he escrito y nunca lo haré. Parecería demasiado, demasiado increíble. Así que me he abstenido de escribir inmensos tomos sobre mí mismo y mis aventuras, no porque haya hecho algo malo, sino porque no era importante hacerlo, y de todos modos, nadie creería siquiera mis narraciones.

Así que he dejado un poco de misterio, no deliberado, que otros con malas intenciones pueden llenar con su imaginación. No era mi intención hacerlo así.

Mis intenciones en la vida no incluyeron convertirme en una historia. Sólo quería conocer al hombre y comprenderlo. En realidad no me importaba si él no me comprendía, con tal de que se comprendiera a sí

mismo. Yo era la parte menor de mi proyecto. Algunos dicen que esto es desafortunado, pero yo no lo creo así. Yo no viví para que se me comprendiera, sino para comprender.

Y no importa. Hace mucho tiempo, cesé completamente de defenderme en contra de las mentiras y las calumnias cuando ocurrían. Para algunos esto se considerará extraño. Pero, ¿cómo se pueden controlar las extravagantes tonterías de una prensa que nunca te entrevista?

¿Condenas y combates cada rumor o cada mentira? Me di cuenta hace mucho de que no tenía tiempo para eso. Pero principalmente no tenía la inclinación de parar las palabras del hombre y castigarle por ser lo que era y por pensar lo que pensaba.

Aprendí muy pronto la inutilidad de luchar contra el que tiene tendencias depravadas. Una vez fui expulsado de una isla, cuando era un muchacho, por un gobernador sombrío y amargado, bajo el cargo de encontrarme siempre feliz y sonriente. No había más historia que esa.

¿Qué hace uno entonces? ¿Procura la venganza y la muerte de los hombres porque son ignorantes, obtusos o intolerantes?

No cuando la misión de uno es comprender y ayudar a los hombres.

¿Se defiende uno contra las mentiras y la infamia cuando ya está demasiado ocupado haciendo su trabajo?

Uno decide lo que se debe hacer. Y lo hace. Todo lo demás es una distracción absurda.

Las amenazas a mi persona no son importantes en estas circunstancias. Yo sabía que alcanzaría mis metas. Lo sabía desde hacía mucho tiempo.

Sólo una vez tuve miedo de las enormes implicaciones de comprender al hombre. Fue cuando aislé a finales de los años treinta lo que parecía ser el Principio Dinámico de la Existencia y cuando supe hacia donde me dirigiría un descubrimiento así. Recordé que el hombre normalmente crucificaba a cualquiera que le aportara sabiduría o le ayudara de verdad.

Tuve miedo por unos momentos. Pero me di cuenta de que ya había buscado una respuesta durante demasiados años, como para abandonarlo en ese punto. Y entonces acepté esa condición. Y no me he detenido en mi camino por miedo personal.

La historia de mi vida no tiene importancia. He vivido. Lo único que lamento realmente, ha sido matar hombres en el estruendo y la pasión de la guerra, y aunque desearía no haberlo hecho, a pesar de todo, se hizo.

Lo que la gente dice que yo, como ser, he hecho o dejado de hacer, no tiene importancia en lo que respecta al hecho de que mi trabajo se ha realizado, se ha hecho bien, y sigue vivo para ayudar al hombre a convertirse en un ser mejor. Si triunfo personalmente o muero por ello en esta vida, no tiene la más mínima importancia.

Lo que he hecho para el beneficio del hombre no lo pueden deshacer miles de columnas de prensa hostil o cien mil millones de mentiras difamatorias. Mis amigos, y tengo muchos, saben que son mentiras, y eso es suficiente.

Soy yo mismo. Puedo mantener la cabeza bien alta ante mí mismo. Sé lo que he logrado en el desarrollo de una nueva filosofía, y ciertamente no soy tan obtuso como para suponer que no tiene consecuencias para mí. Sólo un tonto esperaría o valoraría los elogios del demente y no esperaría ser dañado por el acto de ayudar a un animal salvaje herido. Uno acepta las consecuencias junto con el acto.

He llevado a cabo mi intención básica: comprender al hombre y ayudarle a alcanzar mayores alturas de civilización a través del conocimiento de sí mismo.

Y todos los amigos que tengo, y muchos, muchos más, se alegran de que haya vivido.

Y esa es la historia de mi vida: la única historia que importa.

Mis aventuras, mis angustias, la alegría que siento con el canto del viento y del mar, mi orgullo al crear prosa y fotografías, mis intentos de componer música, mi risa junto a los amigos, lo que me gusta, lo que me

disgusta y lo que he hecho, no son, ninguno de ellos, deshonrosos. Así que ha habido ataques. ¿Le sorprende esto a alguien? Tales acciones sólo prueban que el hombre necesita ayuda y la necesita desesperadamente, si ataca a sus amigos.

Un pasado investigado incesantemente durante dieciséis años por el mundo de la prensa e incluso por la policía de un planeta, sin descubrir un solo crimen, ¡debe ser sin duda un pasado singular y verdaderamente limpio!

Si leyeras los periódicos hasta la década de 1950, yo era una persona medianamente famosa, pintoresca, de excelente familia, de reputación intachable, un miembro de clubes y sociedades famosas, con muchos amigos en lugares importantes. Tras la publicación de un libro relativo a la mente, de la noche a la mañana me convertí en un oscuro villano con un pasado terrible (sin especificar los crímenes por supuesto, ya que no existía ninguno). De esto sólo deducimos que la propia mente de una persona es aparentemente un monopolio en alguna parte, propiedad de un grupo muy susceptible que saca demasiados beneficios como para perder ese control. En cualquier año, se escriben miles de libros sobre filosofía y sobre la mente; muchos de ellos, banales; muchos, depravados; muchos otros, perjudiciales, sin que nadie proteste. Muchas de estas obras están escritas por gente importante. En cualquier año, miles de grupos de automejoramiento, buenos y malos, se forman sin que nadie haga comentario alguno. ¿Por qué entonces la publicación de un libro y la formación de una fundación causaron una reacción tan enorme, totalmente desproporcionada en comparación con la importancia de actos tan usuales? ¿Podría deberse a que ningún grupo interesado tenía este nuevo tema bajo su control? ¿Podría ser que el nuevo tema contenía demasiada verdad? ¿Cómo es que durante dieciséis años, según la fecha en que esto se escribe, los grupos han continuado y se han multiplicado frente a toda esa oposición?, incluyendo la de los gobiernos (cuyas acciones son sorprendentes, ¿pues quién se sublevó contra ellos?).

Algunas veces me siento como un explorador de los viejos tiempos, ofreciendo una pomada a la madre de un pigmeo para la erupción en la piel de su bebé y siendo perseguido pavorosamente por la tribu por "intentar hechizarlos". Bueno, los exploradores se topaban con esas cosas, ¿no es así?

Con toda esta violencia, si hubiera habido algo mal con mi pasado o con mis actividades actuales, los procedimientos legales normales me habrían eliminado desde hace mucho. Pero no, permanecí indemne durante todos esos años.

No ha sido fácil vivir y trabajar en una atmósfera hostil y aún así proteger a mi familia y seguir adelante y mantener la fe en aquellos que confiaban en mí. He cargado con esto por el bien de los demás y por el hombre. Es muy interesante que todas las acciones que se han intentado en contra de Scientology, al final han fracasando y se ha probado su falsedad en cualquier tribunal.

Pero, ¿quién es la persona a quien denuncian personajes poderosos de la prensa, hombres de enorme importancia en los gobiernos del planeta?, ¿quién es la persona sobre la cual debe mentirse y de alguna manera aplastar? Yo, como persona, no soy tan importante.

No tiene sentido. Y cuanto más lo consideras, menos sentido tiene. Porque ni yo, ni el tema somos un enemigo de ninguno de ellos.

Encontrándome con la consciencia tranquila, sincero en la ayuda que le ofrecí al hombre y en mi interés hacia él y siendo al menos su amigo en un mundo solitario no voy a entrar, por supuesto, en una apasionada defensa de mí mismo, ni mucho menos dedicarme a violentos ataques contra gente algo menos que mentalmente cuerda que presenta denuncias tan faltas de sentido (y tan nebulosas).

Dianética y Scientology son muy sencillas para cualquiera que las estudie y las use. No importa cuales hayan sido las aventuras que yo haya tenido, Scientology no es increíble. Justo anoche un niño de seis años se graduó de un Curso de Comunicación y estaba *muy* feliz con ello porque la vida le parecía ahora mucho

más fácil. Cualquiera que estudia la tecnología descubre que ayuda al hombre a comunicarse, a resolver sus problemas, a convertirse en un ser más social; hace que sea innecesario para él continuar justificando sus fracasos con más fracasos y le libera como ser espiritual. El hombre y los filósofos han estado esperando e intentando hacer estas cosas a lo largo de los tiempos. ¿Por qué esas denuncias de maldad cuando, al final, ha hecho posible que cualquier persona siga una ruta fácil hacia la libertad y hacia una civilización más cuerda y más feliz?

Pero entonces uno recuerda que a los filósofos se les ha envenenado y que otros que intentaron ayudar al hombre han sido asesinados con furia, y uno empieza a ver que esta es una actividad peligrosa. Sólo un ser con el sentido de aventura y dedicación más altos intentaría alguna vez resolver el misterio de la identidad y el destino del hombre. La aventura más increíble de todas fue aportar una solución a ese misterio. Porque ese escondido lugar donde se encontraba está sembrado con los huesos de aquellos que lo intentaron en épocas pasadas, todos ellos mucho mejores hombres que yo. Así que sólo un tipo con suficiente coraje para caminar desarmado entre los salvajes en lugares remotos, habría buscado jamás resolver el misterio de la existencia. ¡Eso, ahora, es obvio!

Lo único importante para mí es que he finalizado y escrito mi trabajo. A pesar de todo lo que he hecho.

Y el hombre, a pesar de cualquier cosa que diga o haga ahora, tal vez algún día se alegre de que yo haya vivido.

Que eso sea suficiente.

Eso es lo único importante.

Sólo espero haber ayudado.

Yo he hecho mi trabajo. En verdad, ningún hombre podrá jamás desacreditarlo. Lo importante que fue ese trabajo es algo que el futuro, no yo, decidirá. *Ronald*

Dado que todo lo que hemos presentado aquí refleja una convicción filosófica personal, presentemos también ahora "Mi Filosofía", de L. Ronald Hubbard. Escrita en la primavera de 1965, la obra se ha descrito en forma correcta como el enunciado definitivo de L. Ronald Hubbard sobre su postura filosófica. Aunque no se necesita otra explicación, lo siguiente puede ser de interés: al hacer alusión a las lesiones que sufrió en la Segunda Guerra Mundial, se está refiriendo a las heridas que padeció en combate en la isla de Java y a bordo de una corbeta en el Atlántico Norte. Al mencionar el abandono de que fue objeto en 1945, alude al destino triste y demasiado frecuente de los soldados estadounidenses que retornan de la guerra; es decir, la renuencia de las familias, y de las esposas en especial, a asumir la carga de los ex combatientes inválidos; de aquí el drástico aumento de los divorcios en la post-guerra. Finalmente, y por si no fuera ya obvio, todos los sentimientos expresados aquí duraron toda la vida; y él, de hecho, continuó "escribiendo, trabajando y enseñando mientras exista".

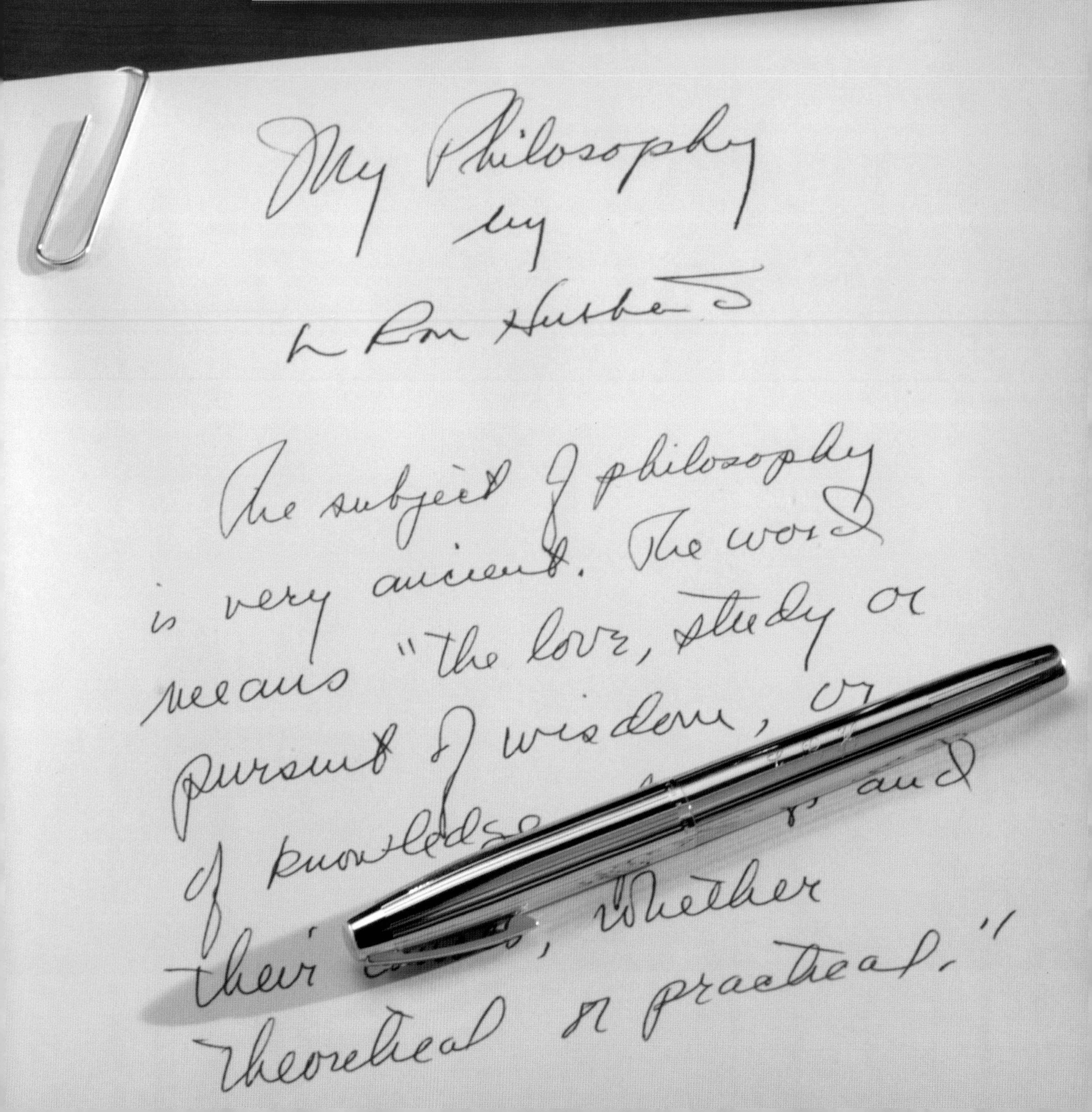

My Philosophy
by
L Ron Hubbard

The subject of philosophy is very ancient. The word means "the love, study or pursuit of wisdom, or of knowledge ... and their ..., whether theoretical or practical."

1965

MI FILOSOFÍA

de L. Ronald Hubbard

El tema de la filosofía es muy antiguo. La palabra significa "el amor, estudio o búsqueda de la sabiduría, o del conocimiento de las cosas y de sus causas, ya sea teórico o práctico".

Todo lo que sabemos de la ciencia o de la religión proviene de la filosofía. Se encuentra en el trasfondo y está por encima de cualquier otro conocimiento que tengamos o usemos.

Considerada durante mucho tiempo como un tema reservado para las salas del saber y para el intelectual, el tema se le ha negado al hombre común a un grado excepcional.

Rodeada de capas protectoras de erudición impenetrable, la filosofía ha estado reservada a unos pocos privilegiados.

El primer principio de mi propia filosofía es que la sabiduría es para todo aquel que desee alcanzarla. Es sirviente del plebeyo y del rey por igual y nunca se le debería contemplar con temor reverente.

Los eruditos egoístas rara vez perdonan a alguien que trate de derribar los muros del misterio y dejar que entre la gente. Will Durant, el moderno filósofo estadounidense, fue repudiado por sus colegas eruditos cuando escribió un libro popular sobre el tema, *La Historia de la Filosofía.* Así pues, las palabras hirientes se cruzan en el camino de cualquiera que intente hacer llegar la sabiduría a la gente a pesar de las objeciones del "círculo íntimo".

El segundo principio de mi propia filosofía es que se tiene que poder aplicar.

El saber, encerrado en libros enmohecidos, es de poca utilidad para nadie y, por lo tanto, de ningún valor a menos que pueda usarse.

El tercer principio es que cualquier conocimiento filosófico es valioso solamente si es cierto o si funciona.

Estos tres principios son tan extraños al campo de la filosofía que yo le he dado un nombre a mi filosofía: *Scientology.* Esto sólo quiere decir "saber cómo saber".

Página original escrita a mano de "Mi Filosofía" de L. Ronald Hubbard

Arriba
Saint Hill Manor, 1966: *"Desde 1950 he tenido a la Humanidad llamando a mi puerta. No ha importado dónde o en qué remoto lugar haya vivido yo. Desde que publiqué por primera vez un libro sobre el tema, mi vida ya no me ha pertenecido".*
—LRH

Una filosofía sólo puede ser una *ruta* hacia el conocimiento. No puede ser conocimiento que se haga tragar a la fuerza. Si uno tiene una ruta, puede entonces encontrar lo que es verdad para él. Y eso es Scientology.

Conócete a ti mismo… y la verdad te hará libre.

Por lo tanto, en Scientology no estamos interesados en acciones y diferencias individuales. Sólo estamos interesados en mostrarle al hombre cómo puede liberarse a sí mismo.

Por supuesto, esto no es muy popular entre aquellos que dependen de la esclavitud de los demás para su propia subsistencia o poder. Pero resulta ser el único camino que he encontrado que mejora realmente la vida del individuo.

La supresión y la opresión son las causas básicas de la depresión. Si las alivias, una persona puede levantar la cabeza, recuperarse, llegar a ser feliz en la vida.

Y aunque pueda ser impopular entre los esclavistas, es muy popular entre la gente. Al hombre común le gusta ser feliz y estar bien. Le gusta ser capaz de entender las cosas. Y sabe que su ruta hacia la libertad se encuentra a través del conocimiento.

Por consiguiente, desde 1950 he tenido a la humanidad llamando a mi puerta. No ha importado dónde o en qué remoto lugar haya vivido yo. Desde que publiqué por primera vez un libro* sobre el tema, mi vida ya no me ha pertenecido.

Me gusta ayudar a los demás, y considero como mi mayor placer en la vida ver a alguien liberarse de las sombras que oscurecen sus días.

* *Dianética: La Ciencia Moderna de la Salud Mental, publicada en mayo de 1950.*

Estas sombras le parecen tan densas y lo oprimen tanto que cuando encuentra que *son* sombras y que puede ver a través de ellas, caminar a través de ellas y estar de nuevo a la luz del sol, se siente enormemente dichoso. Y me temo que yo me siento tan dichoso como él.

He visto mucha miseria humana. De muy joven, vagué por Asia y vi la agonía y la miseria de tierras superpobladas y de un nivel educativo ínfimo. He visto a gente desentenderse de hombres moribundos en las calles y pasar por encima de ellos. He visto a niños que eran poco menos que harapos y huesos. Y en medio de esta pobreza y degradación, encontré lugares sagrados en donde la sabiduría era magnífica, pero donde se ocultaba cuidadosamente y se daba a conocer sólo como superstición. Posteriormente, en las universidades occidentales, vi al hombre obsesionado con la materialidad; y lo vi esconder, con toda su astucia, la poca sabiduría que realmente tenía en aulas intimidantes, y hacerla inaccesible para el hombre común y menos privilegiado. He pasado por una guerra terrible y he visto su terror y dolor pasar sin ser aliviado por una simple palabra de decencia o humanidad. No he vivido una vida enclaustrada, y desprecio al sabio que no ha *vivido* y al erudito que no quiere compartir.

Ha habido muchos hombres más sabios que yo, pero pocos han recorrido tanto camino.

He visto la vida de arriba abajo y de abajo arriba. Sé qué aspecto tiene en ambos sentidos. Y sé que *hay* sabiduría y que hay esperanza.

Ciego, con los nervios ópticos lesionados, y sin poder caminar a causa de lesiones físicas en la cadera y en la espalda, al final de la Segunda Guerra Mundial me enfrentaba a un futuro casi inexistente. Mi hoja de servicio declara: "Este oficial no tiene tendencias neuróticas ni psicóticas de ningún tipo en absoluto"; pero también declara: "Incapacitado físicamente de forma permanente". Y así llegó un golpe más; mi familia y mis amigos me abandonaron como un lisiado supuestamente sin remedio, y una carga probable para ellos durante el resto de mis días. Sin embargo, me abrí camino recuperando la buena forma física y la fuerza en menos de dos años, usando sólo lo que sabía y podía determinar sobre el hombre y su relación con el universo. No tenía a nadie que me ayudara; lo que necesitaba saber lo tuve que descubrir. Y es realmente todo un aprieto estudiar cuando no puedes ver. Me acostumbré a que se me dijera que todo era imposible, que no había manera, que no había esperanza. Sin embargo, llegué a ver de nuevo y a caminar de nuevo, y construí una vida completamente nueva. Es una vida feliz, una vida activa, y espero que útil. Mis únicos momentos de tristeza son aquellos que llegan cuando los fanáticos les dicen a los demás que todo está mal y que no hay ninguna ruta en ningún sitio, que no hay esperanza en ninguna parte, nada salvo tristeza, monotonía y desolación, y que todo intento de ayudar a los demás es falso. Yo sé que no es verdad.

Así que mi propia filosofía es que uno debería compartir la sabiduría que tenga; uno debería ayudar a los demás a que se ayuden a sí mismos, y uno debería seguir adelante a pesar del mal tiempo, pues siempre hay una calma adelante. Uno también debería hacer caso omiso de los abucheos del intelectual egoísta que grita: "No reveles el misterio. Guárdalo todo para nosotros. La gente no puede entender".

Pero, como no he visto nunca que la sabiduría haga ningún bien cuando se guarda para uno mismo, y como me gusta ver felices a los demás, y como encuentro que la inmensa mayoría de la gente puede entender, y *entiende,* seguiré escribiendo y trabajando y enseñando mientras exista.

Pues no conozco a ningún hombre que tenga monopolio alguno sobre la sabiduría de este universo. Le pertenece a aquellos que pueden usarla para ayudarse a sí mismos y a los demás.

Si se conocieran y se comprendieran las cosas un poco mejor, todos llevaríamos vidas más felices.

Y hay un camino para conocerlas y *hay* un camino hacia la libertad.

Lo antiguo tiene que dar paso a lo nuevo, la falsedad tiene que ser desenmascarada por la verdad, y la verdad, aunque se le combata, siempre al final prevalece. Ronald

Saint Hill, Inglaterra

Arriba La Oficina de L. Ronald Hubbard en Saint Hill Manor, eterno símbolo de su presencia. Fue aquí donde dejó un Puente de Scientology hacia la libertad definitiva y las organizaciones de Scientology para llevar el peso de hacer que se cruce.

Derecha El escritorio de Ronald en Saint Hill donde se originaron tantas declaraciones determinantes sobre Dianética y Scientology, incluyendo "Mi Única Defensa por Haber Vivido" y "Mi Filosofía"

Siguiente página, arriba Sala para Demostraciones de Auditación en Saint Hill: fue aquí donde Ronald realizó las demostraciones de la auditación de Scientology por circuito cerrado que se transmitieron a los estudiantes del primer Curso de Instrucción Especial de Saint Hill… Es decir, aquí fructificó la perfección técnica de la aplicación de Scientology conforme él trazaba un angosto sendero a través de la mente reactiva.

Siguiente página, abajo Sala de Investigación de Saint Hill, donde en los últimos meses de 1965, Ronald extendió el Puente de Scientology a estados de "consciencia, recuerdo y capacidad plenos, como espíritu independiente de la carne"

L. RON HUBBARD

Saint Hill Manor, East Grinstead, Sussex, Inglaterra: la casa perenne de L. Ronald Hubbard. Ahora restaurada como en aquel momento de gloria de 1965, los visitantes pueden caminar una vez más por las habitaciones donde Ronald caminó cuando forjaba el ámbito y la estructura de Scientology.

Epílogo

Desde el anuncio de los principios filosóficos que se presentan en esta publicación, Scientology se ha convertido en el movimiento religioso de más rápido crecimiento en la Tierra. Hasta la fecha, alrededor de 10,000 nuevos partidarios se inician en El Puente de Scientology cada semana, mientras que cientos de nuevas organizaciones de Scientology abren sus puertas para satisfacer sus necesidades. Scientology se ha convertido además en el movimiento más abierto a todos los individuos, abarcando a personas de toda religión y credo, lo que enfatiza la declaración de L. Ronald Hubbard: "La sabiduría está dirigida a todo aquel que desee alcanzarla".

Sin embargo, lo que en última instancia es más importante aquí, es lo que está detrás del crecimiento de Scientology. La filosofía, hemos declarado, es el amor a la sabiduría o la búsqueda de la sabiduría, y en ese respecto, Scientology se sitúa en una auténtica tradición ancestral. Pero lo que ofrece Scientology, lo que representa como una ruta hacia la libertad, es completamente nuevo. Porque súbitamente en esta era, desolada en tantos aspectos, existe una filosofía verdaderamente viable que es absolutamente pertinente a cada aspecto de nuestras vidas, la cual brota toda ella de la crucial declaración de L. Ronald Hubbard:

Estamos estudiando el alma o el espíritu.

Lo estamos estudiando como tal.

No estamos intentando usar este estudio

para mejorar ningún otro estudio o creencia.

APÉNDICE

GLOSARIO

A

a saber: se usa para introducir una lista o explicaciones de algo que uno acaba de mencionar. Página 55.

aberración: cualquier desviación o alejamiento de la racionalidad. En Dianética se usa para incluir las psicosis, neurosis, compulsiones y represiones de todo tipo y clasificación. Del latín *aberrare,* desviarse de; latín ab, lejos y errare, andar errante. Básicamente significa errar, cometer equivocaciones o, más específicamente, tener ideas fijas que no son ciertas. La palabra también se usa en su sentido científico. Significa desviación de una línea recta. Si una línea debería ir de A a B, si está "aberrada" iría de A a algún otro punto, a algún otro punto, a algún otro punto, a algún otro punto, a algún otro punto y finalmente llegaría a B. Si se toma en su sentido científico, también significaría la falta de rectitud o ver de forma tan torcida como, por ejemplo, un hombre ve un caballo pero cree ver un elefante. Página 35.

aberrado: afectado por la *aberración,* cualquier desviación o alejamiento de la racionalidad. Página 36.

abismo: espacio o abertura sin fondo, vacío, etc., que se piensa que conduce a algo sumamente dañino o destructivo o que lo contiene. Página 115.

aborrecer: sentir aversión o rechazo ante (una cosa o persona). Página 120.

abstenerse: contenerse de forma voluntaria de hacer algo. Página 140.

abstracto: idea o término considerado aparte de una base material o de un objeto. Página 25.

abucheo: gritos o exclamaciones para expresar desaprobación. Página 149.

académico: **1.** Relativo a una escuela u otras instituciones educativas. Página 3.
2. Meramente teórico; dedicado al estudio más que a la aplicación práctica. Página 20.

accesible: fácil de acercársele, alcanzarlo, entrar a ello, usarlo, etc. Página 115.

aclimatar: acostumbrarse a un entorno, situación o algo similar. Página 139.

Acrópolis: sección elevada y fortificada de la ciudad de Atenas, Grecia. Desde el siglo V a. C., los griegos construyeron ahí una serie de estructuras, entre ellas un templo dedicado a Atenea, la diosa patrona de la ciudad, y varios teatros. Página 125.

activar: hacer que algo aparezca o empiece a actuar, como si tuviera un interruptor, un botón o una válvula. Página 105.

adrenalina: sustancia preparada de forma sintética que se usa como estimulante para el corazón. La misma sustancia es también una hormona, que el cuerpo produce y libera en el torrente sanguíneo en respuesta al estrés físico o mental, por miedo a ser lesionado. Además de estimular una acción en el corazón, inicia otras respuestas del cuerpo, como un aumento de la presión sanguínea. Página 84.

advenimiento: llegada de algo importante. Página 7.

afrenta: acción o palabras ofensivas; mostrar deliberadamente falta de respeto; insultar. Página 79.

Álamo: referencia a la batalla que se libró en Texas en 1836 en el *Álamo,* una antigua misión católica romana que se usó como fuerte. Durante trece días, dos mil tropas mexicanas rodearon a 187 tejanos, hasta que a los tejanos se le estaban acabando la munición, momento en que los mexicanos rompieron en el fuerte y mataron a todos los que lo estaban defendiendo. Página 106.

albores: el comienzo o el ascenso de algo. Página 1.

alegórico: que se expresa como una representación simbólica de algo, más que la cosa en sí. Página 115.

Alejandría: ciudad portuaria en la región norte de Egipto, fundada en el año 332 a. C. por el general del ejército y rey de Macedonia, Alejandro Magno (356-323 a. C.). En la antigüedad, la ciudad fue el escenario de conflictos brutales entre sectas cristianas opuestas, lo cual resultó en matanzas en masa de los habitantes de la ciudad. Página 130.

ama a tu prójimo: referencia a un principio de conducta ampliamente conocido que se enseña en muchas religiones y sociedades, y que pide a las personas amar a quienes les rodean, incluyendo a sus enemigos. Página 130.

amalgamar: combinar conjuntamente para formar un todo unificado o integrado. Página 100.

amanecer dorado: el principio de gran felicidad y logros. Página 51.

amasar: reunir una gran cantidad de dinero u otro tipo de bienes, generalmente poco a poco y durante un largo periodo. Página 137.

amnesia: pérdida parcial o total de memoria. Página 105.

amonestación: consejo o advertencia. Página 25.

amoníaco: alusión a una de las teorías evolutivas del "origen de la vida" en este planeta. Según esta teoría, la vida surgió mediante una serie de reacciones químicas espontáneas en las que estuvieron presentes diversas sustancias incluyendo el amoníaco. La teoría supone que estos compuestos cayeron de la atmósfera al mar, interactuaron y crecieron más y más. De alguna manera, se formaron células que a la larga llegaron a ser los seres vivientes que hoy en día habitan la Tierra, incluyendo al hombre. Página 129.

Ampex: importante fabricante estadounidense de productos de audio, video y cintas magnéticas, grabadoras de audio, equipo de radio y televisión, etc., fundada en 1944 por el ingeniero de origen ruso Alexander M. Poniatoff (1842-1980). Página 92.

Anaximandro: siglo VI A. C. filósofo y astrónomo griego, autor de las primeras obras sobre el universo y el origen de la vida. Página 22.

anécdota: relato breve de un hecho curioso que se hace como ilustración, ejemplo o entretenimiento. Página 140.

anhelo: deseo intenso de conseguir algo. Página 57.

antepasados: persona de la que se desciende. Página 62.

antigua Grecia: civilización que floreció alrededor del mar Mediterráneo entre el año 3,000 A. C. y el siglo I a. C. Se conoce por sus avances en filosofía, arquitectura, teatro, gobierno y ciencia. El periodo más famoso de la antigua civilización griega (la "época clásica") fue de alrededor del año 480 hasta el 323 a. C. Durante este periodo, los antiguos griegos alcanzaron su mayor prosperidad y sus mayores logros culturales. Página 125.

apartheid: (en la República de Sudáfrica) política estricta de discriminación y segregación política y económica de la población de color, que estuvo vigente de 1948 a 1991. Página 136.

aprendido: se utiliza para describir un comportamiento o conocimiento que se adquiere a través de la experiencia o el entrenamiento más que en base a los instintos. Página 9.

arcano: oculto; misterioso. Página 18.

Aristarco: (¿310- 250? A. C.) astrónomo griego, fue el primero en decir que la Tierra rotaba y se movía alrededor del sol. Página 20.

Aristóteles: (384-322 A. C.) filósofo, educador y científico griego. Sus obras abarcaron todas las ramas del conocimiento humano conocido en su tiempo, incluyendo la lógica, la ética, las ciencias naturales y la política. Página 20.

artefacto: cualquier objeto hecho por el arte y la mano de obra del hombre. Página 44.

Asociación Hubbard de Scientologists: organización que sirvió como centro de diseminación y entrenamiento para Dianética y Scientology. Página 67.

Asociación Hubbard de Scientologists (Internacional): durante las décadas de 1950 y 1960, la organización que coordinaba y dirigía a todas las organizaciones de Scientology en el mundo, era el punto central de diseminación y el grupo de afiliación general de la Iglesia. Página 67.

Asociación Médica Americana: organización profesional de médicos en Estados Unidos, fundada en 1847 y compuesta por las asociaciones médicas estatales y provinciales. Página 137.

Asociación Psiquiátrica Americana: sociedad nacional de psiquiatras fundada en 1844 como la Asociación de Superintendentes Médicos de las Instituciones Americanas para el Demente. Página 137.

Astounding Science Fiction (Ciencia Ficción Asombrosa): revista fundada en 1930 que presentaba historias de aventuras y más tarde de ciencia ficción. La edición de mayo de 1950 presentó uno de los primeros artículos sobre Dianética, *Dianética: La Evolución de una Ciencia.* Página 18.

astronomía: estudio científico sobre el universo y sobre los cuerpos celestes, los gases y el polvo que hay en él. La astronomía incluye observaciones y teorías sobre el sistema solar, las estrellas, las galaxias y la estructura general del espacio. Página 19.

Atenas: capital y ciudad más grande de Grecia, situada en la parte sureste del país. Atenas ha sido un centro de la cultura griega desde el siglo V A. C. Página 125.

átomo: unidad más pequeña de un elemento químico, que consiste en el núcleo de carga positiva rodeado por electrones de carga negativa. Para los filósofos de la antigüedad, el *átomo* era la partícula básica de la materia, que era indestructible e indivisible; se le consideraba el componente fundamental del universo. Página 22.

átomo, división del: la división del núcleo del átomo (la región central de los átomos, que consiste de diminutas partículas estrechamente unidas y contiene la mayor parte de la masa) y la subsecuente producción de grandes cantidades de energía, como se puede ver en una reacción nuclear. A principios de la década de 1930, los científicos en Cambridge, Inglaterra, fueron los primeros en dividir el átomo. Página 23.

auditación: aplicación de las técnicas de Dianética y Scientology (llamadas *procesos*). Los procesos tienen que ver directamente con incrementar la capacidad del individuo para sobrevivir, incrementar su cordura o capacidad para razonar, su capacidad física y su capacidad para disfrutar de la vida en general. También se le llama procesamiento. Página 2.

aversión: oposición o repugnancia que se tiene a alguna persona o cosa. Página 41.

axioma: enunciado de leyes naturales similar a los de las ciencias físicas. Página 1.

ayuda: proceso (serie sistemática y técnicamente exacta de pasos, acciones o cambios para generar un resultado específico y definido) sencillo y fácil de realizar, que se puede aplicar a cualquier persona para ayudarle a recuperarse más rápidamente de accidentes, enfermedades leves o molestias. Página 51.

B

bacteriana: que consiste en *bacterias,* microorganismos unicelulares (organismos tan pequeños que sólo se pueden ver bajo un microscopio). Página 9.

banal: común u ordinario. Página 143.

banco(s): lugar donde se almacena información, como en las primeras computadoras, en que los datos se almacenaban en un grupo o serie de tarjetas llamado "banco". Página 38.

banco de engramas: lugar en el cuerpo donde los engramas, con todas sus percepciones, se almacenan, se registran y se retienen, y desde donde los engramas actúan sobre la mente analítica y el cuerpo. *Percepciones* se refiere a las impresiones o los resultados mentales del hecho de percibir a través de los sentidos; las cosas que se perciben. Página 39.

bata blanca, tipos de: alusión a los médicos, psiquiatras y sus ayudantes, etc., quienes suelen llevar batas blancas. Página 106.

Bay Head: ciudad en la costa del Atlántico de Estados Unidos en el estado de Nueva Jersey, aproximadamente 110 kilómetros al sur de la ciudad de Nueva York. Página 33.

Beethoven: Ludwig van Beethoven (1770-1827), compositor alemán. Antes de Beethoven, los compositores escribían obras para servicios religiosos, para enseñar y para entretener a la gente en eventos sociales. Él fue el primer compositor que la gente escuchaba por el gusto de escuchar música. Página 106.

Berkeley, George: (1685–1753) filósofo y clérigo inglés-irlandés que aseguraba que no hay un mundo externo separado y que la materia no existe independientemente de la mente que la percibe. Sin embargo, decía que hay cosas que pueden existir sin que algún ser humano las perciba de inmediato porque todo existe en la mente de Dios, quien percibe todas las cosas. Página 18.

Biblioteca del Congreso: una de las bibliotecas más grandes del mundo, ubicada en Washington, D.C., que alberga colecciones que tienen un total de más de 140 millones de obras. Fue fundada por el Congreso de Estados Unidos (cuerpo legislativo del gobierno) en 1800 para dar servicio a sus miembros, pero ahora también da servicio a otros organismos del gobierno, a otras bibliotecas y al público. Página 88.

bioquímico: relacionado con la ciencia y práctica de la bioquímica, el estudio científico de las sustancias, procesos y reacciones químicas que ocurren en los organismos vivos. Página 10.

black jack: juego de cartas o dados en el que gana el jugador que hace veintiún puntos exactos o se acerca más a ellos sin pasarse. También llamado *veintiuno.* Página 83.

bodhi: en budismo, alguien que ha alcanzado la perfección intelectual y ética por medios humanos. Página 133.

Boletín Técnico: tipo de publicación escrita por L. Ronald Hubbard. Estas publicaciones son técnicas (se relacionan con la tecnología de Scientology) y contiene todos los datos para la auditación y los cursos. Están impresas en tinta roja sobre papel blanco, con fechas consecutivas y se distribuyen como se indica en ellas, normalmente al personal técnico. *Véase también* **tecnología.** Página 117.

borrar: causar que un engrama se "desvanezca" completamente a base de relatarlo, momento en que se archiva como recuerdo y experiencia. Página 40.

botánica: ciencia o estudio de las plantas, su vida, estructura, crecimiento, clasificación, etc. Página 24.

Bowie, Jim: (1796-1836) pionero estadounidense que luchó contra México por la independencia de Texas y que fue muerto durante la batalla en el *Álamo,* una misión y fuerte en San Antonio, Texas. Las tropas mexicanas atacaron el Álamo el 23 de febrero de 1836, pero los tejanos aguantaron hasta que se les fueron acabando las municiones, el fuerte cayó el 6 de marzo. Bowie y los otros defensores fueron asesinados, pero el grito "¡Recuerden el Álamo!", sirvió para reunir fuerzas adicionales para la causa de la independencia de Texas, que finalmente se ganó en abril de 1836. Página 106.

Bremerton: ciudad en la parte oeste de Washington, estado en el noroeste de Estados Unidos, en la costa del Pacífico. Página 10.

Británica, Commonwealth: asociación de países (Inglaterra, Gales, Escocia, Irlanda del Norte y varios estados con gobierno propio como Canadá, Australia, Nueva Zelanda, Sudáfrica) que anteriormente eran parte del Imperio Británico. La Commonwealth se estableció formalmente en 1931 para fomentar el comercio y las relaciones amistosas. Página 101.

Brown, Profesor: Thomas Benjamin Brown (1892-1962), profesor de física estadounidense que estuvo en la Universidad de George Washington, en Washington D.C., de 1920 a 1958. Brown fue Director de la Facultad de Física por más de treinta años y recibió un reconocimiento como un profesor dedicado en ese campo y escribió algunos libros de texto sobre el tema. Página 81.

Browning: Robert Browning (1812-1889) poeta inglés, destacado por sus estudios de carácter finamente elaborados en un estilo de poesía que él desarrolló y que se conoce como *monólogos dramáticos.* En estos poemas, Browning habla con la voz de un personaje imaginario o histórico en un momento dramático de la vida de ese personaje. Página 81.

budistas: aquellos que siguen las doctrinas del *Budismo,* la religión fundada por el filósofo indio Siddarta Gautama Buda (hacia el año 563-¿483? A.C.). *Véase también* **Gautama.** Página 65.

buenos tiempos: expresión que se utiliza para referirse a un tiempo pasado y que se recuerda con nostalgia por considerarse mejor que el actual. Página 59.

buldog, aferrarse como un perro: aferrarse con una persistencia obstinada e implacable, como la de un buldog. Un *buldog* es un perro de tamaño mediano, musculoso, de cabeza grande, nariz amplia y pecho fuerte. La mandíbula inferior del buldog sobresale de la superior, lo que hace posible que al morder algo sea difícil hacer que lo suelte. Página 23.

C

caballo de hierro: se refiere a una *locomotora,* máquina que montada sobre ruedas y movida de ordinario por vapor, electricidad o motor de combustión interna, arrastra los vagones de un tren. Página 26.

caldeo: de Caldea, región de la antigua Babilonia, el antiguo imperio en el sudoeste asiático (situado en la zona que ahora se conoce como Irak) que floreció del año 2100 al año 689 A. C. Los gobernantes caldeos ayudaron a desarrollar una civilización rica y poderosa en Babilonia. Página 19.

Calle F: calle de Washington, D.C., cerca de la Casa Blanca, donde se encuentra la Universidad George Washington. Página 82.

calumnia: acusación falsa, hecha maliciosamente para causar daño. Página 141.

Camelback, montaña: montaña ubicada en Phoenix, Arizona que tiene una altura de 823 metros sobre el nivel del mar. El nombre *Camelback* proviene de su forma, la cual se parece a la cabeza y joroba de un camello. Página 52.

Campbell, hijo, John W.: (1910–1971) editor y escritor estadounidense que comenzó a escribir ciencia ficción mientras estaba en la universidad. En 1937, Campbell fue nombrado editor de la revista *Astounding Stories (Historias Asombrosas),* que más tarde se llamó Astounding Science Fiction (Ciencia Ficción Asombrosa) y después Analog (Analógico). Bajo su dirección editorial, Astounding llegó a ser una influencia significativa en el desarrollo de la ciencia ficción y publicaba historias de algunos de los escritores más importantes de la época. Página 18.

campo: esfera de actividad, interés, acción u operación, etc. Página 7.

campos de internamiento: campos para confinar a enemigos extranjeros (que no son ciudadanos del país), prisioneros de guerra, prisioneros políticos, etc. Página 31.

Capella: Marciano Capella, siglo V A. C. catedrático que escribió sobre astronomía, matemáticas y otros temas. Página 20.

capitalista: relativo al *capitalismo,* sistema económico en el que uno presta dinero que, al acumular intereses (lucro), hace que uno gane su sustento cómodamente. Es el proceso de hacer que el dinero trabaje para uno en vez de hacer el trabajo uno mismo. Página 130.

Catalina la Grande: Catalina II (1729-1796), emperatriz de Rusia de 1762 a 1796. Durante su reinado, Catalina construyó escuelas y hospitales, promovió la educación y extendió el territorio ruso. Página 106.

categóricamente: que se afirma o se niega sin restricción ni condición. Página 53.

cedro: madera duradera y fragante proveniente de los cedros, se ha utilizado durante miles de años en la construcción de muebles, edificios y barcos. Página 17.

célula(s): unidad estructural más pequeña de un organismo que es capaz de funcionar en forma independiente. Todas las plantas y animales están compuestos materialmente de una o más células, que por lo general se combinan para formar varios tejidos. Por ejemplo, el cuerpo humano tiene más de diez billones de células. Página 9.

censor: en la teoría freudiana, aquella fuerza restrictiva que retiene los impulsos, ideas y sentimientos indeseables y repugnantes en el inconsciente del individuo. Página 37.

China prerrevolucionaria: referencia a China en el periodo que abarca más o menos desde 1928 hasta 1949. Durante este tiempo el gobierno era controlado por los Chinos *Nacionalistas* el partido político que había derrocado al emperador (1911) y había establecido a China como una nación con líderes elegidos. Después de 1928, los nacionalistas trataron de bloquear una revolución por medio del partido comunista chino que era cada vez más poderoso. Al final estalló una guerra civil. Para 1949, habiéndose asegurado la victoria del partido comunista, los nacionalistas se fueron a Taiwán, una isla en la costa sureste de China, y establecieron un gobierno independiente. Página 75.

Christophe: Henri Christophe (1767-1820), rey de raza negra del norte de Haití a principios del siglo XIX y uno de los héroes nacionales de Haití. En 1779, él y cientos de otros haitianos lucharon en el bando de los americanos en la Guerra de Independencia Estadounidense. Después fue a Haití y lideró una revolución, echando a los franceses y ayudando a establecer el estado independiente de Haití en 1804. En 1806 fue nombrado presidente de Haití. Página 80.

ciencia: conocimiento; comprensión o entendimiento de hechos o principios, que se clasifican y se dan a conocer en obras, en la vida o en la búsqueda de la verdad. Una ciencia es un cuerpo coordinado de verdades demostradas o de hechos observados organizados sistemáticamente y unidos bajo leyes generales. Incluye métodos fiables para el descubrimiento de nuevas verdades dentro de su ámbito y denota la aplicación de métodos científicos en campos de estudio anteriormente considerados abiertos sólo a teorías basadas en criterios abstractos, subjetivos, históricos o indemostrables. La palabra *ciencia* se usa en este sentido (que es el significado fundamental y tradicional de la palabra) y no en el sentido de las ciencias físicas o materiales. Página 7.

ciencia (de la mente): en usos como *ciencia del arte,* ciencia de la mente, se refiere a la aplicación de métodos científicos en campos de estudio anteriormente considerados abiertos sólo a aquellas teorías basadas en la opinión o en datos abstractos que no se pueden comprobar o demostrar. Página 35.

ciencia material: cualquiera de las ciencias, como la física y la química, que estudian y analizan la naturaleza y las propiedades de la energía y la materia inerte. *Material* indica que pertenece a la materia; a lo físico. Página 124.

ciencias exactas: cualquiera de las ciencias como la física y la química, que estudian y analizan la naturaleza y las propiedades de la energía, y la materia inerte. *Exactas* se refiere a los métodos y procedimientos que se usan en esas ciencias y significa que requieren precisión; que no admiten vaguedad o incertidumbre. Página 19.

cigoto: célula reproductora femenina que ha sido fertilizada por una célula reproductora masculina. Página 42.

circuito cerrado: se relaciona con un *sistema de televisión de circuito cerrado* en el que las señales se transmiten por cable de una o más cámaras a un número restringido de receptores (pantallas de televisión), usualmente para que las personas vean un suceso especial que está ocurriendo en un lugar lejano. Página 150.

círculo íntimo: pequeño grupo de personas, dentro de un grupo más grande, que tienen mucho poder, influencia e información especial. Página 147.

cirugía psiquiátrica: uso de la cirugía cerebral como supuesto tratamiento para trastornos mentales. Página 76.

citología: rama de la biología que estudia la estructura, la función y la vida de las células. Página 22.

citológico: relacionado con la citología o con sus métodos. *Véase también* **citología.** Página 9.

Ciudadela de Christophe: también llamada *Citadelle Laferrière,* famosa fortaleza construida en la cima de una montaña de 1,000 metros de altura a las afueras de la ciudad de Cabo Haitiano, en Haití. Fue construida a principios del siglo XIX por el rey haitiano Henri Christophe (1767–1820); se requirió el trabajo de miles de esclavos para construir sus enormes muros de varios metros de grosor y entre 30 y 61 metros de altura, y supuestamente podía albergar a quince mil hombres con suficiente agua y comida para un año. Página 80.

claustro: en sentido literal, un lugar donde la gente vive una vida de reclusión y contemplación religiosas. Se usa en sentido figurado para referirse a un lugar que está retirado o protegido de las duras realidades de la vida. Página 3.

Clear: el *Clear* es una persona que no está aberrada. Es racional debido a que concibe las mejores soluciones posibles según los datos que tiene y desde su punto de vista. Esto se logra por medio del clearing, la liberación de todo el dolor físico y la emoción dolorosa de la vida de un individuo. *Véase* **Dianética.** Página 35.

Club de Exploradores: organización, cuya sede central está en Nueva York y que fue fundada en 1904; se dedica exclusivamente a promover la ciencia de la exploración. Para apoyar este propósito, proporciona subvenciones para aquellos que desean participar en proyectos y expediciones de investigación. Ha proporcionado apoyo logístico a algunas de las expediciones más audaces del siglo XX. L. Ronald Hubbard fue miembro del Club de Exploradores. Página 140.

co-auditación: auditación que llevan a cabo un equipo de dos personas que se auditan la una a la otra. Abreviatura de *cooperative auditing* (auditación cooperativa en inglés). Página 44.

Columbia Británica: provincia en el oeste de Canadá en la costa del Pacífico, que incluye la isla de Vancouver y las islas Queen Charlotte. Página 31.

combustión espontánea: alusión jocosa a la teoría de la *generación espontánea,* según la cual ciertas formas de vida pueden desarrollarse directamente a partir de cosas sin vida. Los griegos creían que las moscas y otros animales pequeños surgían del barro del fondo de los arroyos y los estanques; la mayoría de los científicos le han dado seguimiento a esto a partir de la teoría de que tuvo lugar una generación espontánea al juntarse, de una u otra forma, ciertos compuestos químicos en el fango para formar el primer organismo vivo hace millones de años. Al final se formó una célula que chocó con otras células y en forma accidental formaron un organismo más complejo, lo que a la larga llevó a la aparición del hombre. Espontáneo se refiere a no tener una causa o influencia externa aparente; ocurrir o producirse por su propia energía. fuerza, etc. Página 129.

Commonwealth Británica: asociación de países (Inglaterra, Gales, Escocia, Irlanda del Norte y varios estados con gobierno propio como Canadá, Australia, Nueva Zelanda, Sudáfrica) que anteriormente eran parte del Imperio Británico. La Commonwealth se estableció formalmente en 1931 para fomentar el comercio y las relaciones amistosas. Página 101.

compendio: colección de información concisa pero detallada que señala las características importantes de un tema en particular. Página 102.

comunismo: teoría o sistema político en que todos los miembros de una sociedad sin clases poseen toda la propiedad y la riqueza, y el partido, que tiene poderes absolutos, dirige la economía y los sistemas políticos del estado. Se imponen amplias restricciones sobre la libertad personal y religiosa, y los derechos individuales están subordinados a las necesidades colectivas de las masas. Página 14.

condenar: hablar abiertamente contra algo. Página 21.

conducta: se relaciona con el *conductismo,* enfoque del estudio de la psicología que se concentra exclusivamente en observar, medir y modificar la conducta. Página 9.

Congressional Airport: aeropuerto que se encontraba cerca de Washington, D.C. Era la ubicación de varias escuelas de vuelo y a principios de la década de 1930, fue el lugar donde LRH participó en vuelos acrobáticos. Página 82.

cono: cualquier objeto o espacio que tiene la forma de un *cono,* objeto que en un extremo tiene una amplia base circular y acaba en punta en el otro extremo. Página 11.

conspirar: llegar a un acuerdo, especialmente secreto, para hacer algo malo, dañino o ilegal. Página 136.

Constantinopla: antiguo nombre de Estambul, la mayor ciudad de Turquía. Fundada en el año 667 A. C., la ciudad se convirtió en la capital de la parte oriental del Imperio Romano en el año 330 d. C. En épocas pasadas de la cristiandad, Constantinopla tenía una posición clave en la iglesia cristiana, comparable a la de Roma. Página 101.

contemplativo(a): que tiende a la *contemplación,* la acción de pensar sobre algo profundamente y en detalle. Página 1.

contexto: ambiente o conjunto de cosas que rodean algo. Página 1.

Copérnico: Nicolás Copérnico (1473–1543), astrónomo polaco muy conocido por su teoría astronómica de que la Tierra y los otros planetas giran alrededor del sol. Esta teoría se dio a conocer en 1543 y desafió la idea preferencial, en existencia desde el siglo II, que afirmaba que el sol y los planetas giraban alrededor de la Tierra. Página 20.

Copérnico, sistema de: la teoría astronómica de que la Tierra y otros planetas giran alrededor del sol, una teoría propuesta por el astrónomo polaco Nicolás Copérnico (1473–1543). Esta teoría desafió la idea preferencial, en existencia desde el siglo II, que afirmaba que el sol y los planetas giraban alrededor de la Tierra. Página 23.

copiadora: *máquina copiadora de cintas,* máquina que hace una copia exacta de una cinta; por ejemplo, al reproducir duplicados de una grabación original. *Véase también* **grabadora.** Página 92.

corbeta: navío ligeramente armado y veloz, que se usó especialmente durante la Segunda Guerra Mundial (1939–1945) para acompañar a grupos de embarcaciones que transportaban provisiones y protegerlas de ataques submarinos por parte del enemigo. Página 89.

corcel de acero: alusión a una motocicleta. Un *corcel* es un caballo alto, ligero y fuerte. Página 60.

corteza cerebral: capa exterior del cerebro que consta de conjuntos de células nerviosas plegadas formando una superficie con muchas ranuras y crestas. Se dice que la corteza cerebral es responsable de la función de recibir e identificar sensaciones como el tacto, la vista y el oído, el manejo del movimiento muscular voluntario del cuerpo, de la memoria, el pensamiento y el raciocinio. Página 132.

Cortina, me deslizaba a través de la: *deslizarse* significa moverse en forma suave por una superficie. Una cortina es una tela que sirve para cubrir u ocultar lo que hay detrás. Se usa en sentido figurado para referirse a la inconsciencia de la muerte. Página 11.

costa oeste: costa oeste de Estados Unidos, frente al Océano Pacífico que abarca las zonas costeras de California, Oregon y Washington. Página 33.

credo: sistema de creencias o principios en general. Página 2.

credulidad: condición de creer a la ligera o fácilmente. Página 129.

cristiano: seguidor de la religión del cristianismo, la cual se basa en la vida y enseñanzas de Jesucristo. La mayoría de cristianos creen que Dios envió a Jesucristo al mundo para actuar como Salvador. Página 65.

Cristo: uno de los líderes religiosos más grandes del mundo. La religión cristiana tiene como fundamento su vida y sus enseñanzas. Página 52.

cromar: dar un baño de cromo a los objetos metálicos para hacerlos inoxidables. El cromo es un metal brillante y lustroso de color gris que resiste a la corrosión y se vuelve más brillante y resplandeciente cuando se pule. Página 125.

crucial, punto: punto decisivo o más importante de un problema, cuestión o situación. Página 99.

crucificado: tratado muy injustamente; perseguido, atormentado; torturado. Página 21.

Cruz de Scientology: la cruz de Scientology es una cruz de ocho puntas que representan las ocho dinámicas de la vida a través de la cuales cada individuo está intentando el sobrevivir: 1) uno mismo; 2) el sexo, la familia y las generaciones futuras; 3) los grupos; 4) la Humanidad; 5) la vida, todos los organismos; 6) la materia, energía, espacio y tiempo, MEST, el universo físico; 7) los espíritus; y 8) el Ser Supremo. En *Dianética: La Ciencia Moderna de la Salud Mental* se describen las primeras cuatro dinámicas, porque Dianética abarca las primeras cuatro dinámicas, mientras que Scientology abarca las ocho dinámicas. Página 68.

cuadro(s) de imagen mental: cuadro que, almacenado en la mente reactiva, es una grabación completa, hasta el último y preciso detalle, de cada percepción presente en un momento de dolor y de inconsciencia parcial o completa. Estos cuadros de imagen mental tienen su propia fuerza y son capaces de darle órdenes al cuerpo. Página 90.

cultivado: producido bajo condiciones artificiales y controladas, como las plantas, los microorganismos o los tejidos animales que se desarrollan en condiciones especialmente controladas para propósitos científicos, médicos o comerciales. Página 9.

Curso de Comunicación: curso de Scientology que enseña destrezas básicas de comunicación, a través de las cuales uno adquiere la capacidad de comunicarse de forma efectiva con otros. Página 144.

Curso de Thetán Operante: programa que lleva al estado de Thetán Operante. "Operante" significa "capaz de actuar y manejar cosas" y "Thetán" significa el ser espiritual que es la persona básica. "Theta" en griego quiere decir pensamiento, vida o el espíritu. Un Thetán Operante entonces es alguien que puede manejar cosas sin tener que usar un cuerpo de medios físicos. Página 134.

D

Daily News: periódico que se publicó en Los Ángeles, California, desde comienzos de la década de 1920 hasta la década de 1950. Su nombre original era *Daily Illustrated News.* Página 38.

Darwin: Charles Darwin (1809–1882), naturalista y escritor inglés. Su libro *Sobre el Origen de las Especies* propuso una teoría para explicar la evolución de los seres vivos hasta llegar a formas superiores. Página 9.

Darwin, teoría de: referencia a la teoría de la evolución del naturalista y autor inglés Charles Darwin (1809–1882), según la cual el hombre descendió y evolucionó hasta lo que es hoy en día a partir de formas de vida inferiores. Esta teoría sostiene que todas las especies de plantas y animales se desarrollaron de formas anteriores, y que las formas que están mejor adaptadas a su entorno sobreviven y se reproducen, mientras que aquellas que están menos adaptadas mueren. De acuerdo a la creencia popular, la teoría de la evolución decía que el hombre descendía de los monos. Página 9.

degradación: estilo de vida carente de dignidad, salud o cualquier comodidad social; condición de pobreza extrema y descuido indiferente. Página 149.

Demócrito: (460-370 A. C.) Filósofo griego que desarrolló la teoría atómica del universo, que había originado su maestro, el filósofo Leucipo. Según Demócrito, todas las cosas están compuestas de partículas de materia pura diminutas que son invisibles e indestructibles, las cuales se mueven eternamente en un espacio vacío infinito. Demócrito creía que nuestro mundo se originó debido a una combinación casual de átomos. Página 22.

depresión: crisis económica y periodo de baja actividad empresarial, aumento del desempleo, reducción en los precios y en los salarios, etc., en especial la crisis económica y el periodo de baja actividad empresarial en Estados Unidos y otros países, que comenzó más o menos con la caída del mercado de valores en octubre de 1929 y que continuó durante gran parte de la década de 1930. Página 88.

desacreditar: causar que la gente deje de creer en algo o alguien. Página 52.

desactivar: hacer que algo deje de aparecer o de actuar, como si tuviera un interruptor, un botón o una válvula. Página 105.

desapego: falta de afecto o interés por alguien o algo. Página 90.

desintegración: un proceso que causa la ruptura del núcleo del átomo o de una partícula dentro del átomo en partes más pequeñas, ya sea mediante una desintegración radioactiva o mediante un bombardeo con partículas cargadas de energía. Página 24.

desintegrador atómico: algo que separa o fragmenta los átomos en partículas más pequeñas. Página 24.

deslizaba a través de la Cortina, me: *deslizarse* significa moverse en forma suave por una superficie. Una cortina es una tela que sirve para cubrir u ocultar lo que hay detrás. Se usa en sentido figurado para referirse a la inconsciencia de la muerte. Página 11.

desolado: privado de esperanza, alegría o comodidad, como si uno estuviera abandonado por amigos o familiares; miserable. Página 155.

desorbitados, ojos: dícese de los ojos que expresan tanto dolor o asombro que parecen salirse de sus órbitas. Página 140.

destilar: derivar de algo, o expresar en forma breve una experiencia más amplia o un mayor conjunto de ideas. Página 33.

Dharma: nombre de un legendario sabio hindú y de un cuerpo científico de verdades filosóficas y religiosas, escritas alrededor del año 600 A.C. El Dharma surgió en Asia y sus doctrinas se difundieron a cientos de millones de personas mediante el fundador del Budismo Siddarta Gautama Buda (hacia ¿563-483? a.C.). Página 65.

Dhyana: en el budismo e hinduismo, iluminación espiritual que se adquiere en niveles más altos de contemplación. Página 65.

diabólico: extremo o en un grado excesivamente grande. Página 41.

diafragma: amplia división muscular entre los pulmones y el estómago, que se tensa cuando uno inhala y se relaja cuando uno exhala. Página 88.

dialéctico: originalmente, la práctica de intentar llegar a la verdad mediante el intercambio de argumentos lógicos o el toma y daca de preguntas y respuestas. Después la palabra se usó para describir la teoría de que la evolución de ideas ocurre porque un concepto hace surgir su opuesto, creando así un conflicto, cuyo resultado es una tercera idea, supuestamente a un nivel más alto de verdad que las dos anteriores. El radical alemán Karl Marx (1818-1883) alteró esto, al ver la vida sólo como algo material que contenía lados o aspectos contradictorios ("conflicto de polos opuestos"), cuyos conflictos son las fuerzas creadoras del cambio y tienen como resultado el desarrollo y la aparición de algo nuevo. Página 79.

dialéctico, materialismo: teoría adoptada como la filosofía oficial del comunismo, que se basa en las obras del revolucionario alemán Karl Marx (1818-1883). La teoría afirma que el mundo material tiene realidad independientemente de la mente o el espíritu y las ideas sólo pueden surgir de condiciones materiales. Marx afirmó que todo es material, incluyendo la cultura humana. Declaró que, por su naturaleza, todas las cosas están compuestas de lados o aspectos contradictorios ("conflicto de polos opuestos"), cuyos conflictos son las fuerza creadoras del cambio y que tienen como resultado el desarrollo y la aparición de algo nuevo. Página 79.

Dianética: Dianética es una precursora y subestudio de Scientology. Dianética significa "a través de la mente" o "a través del alma" (del griego *dia,* a través y *nous,* mente o alma). Es un sistema de axiomas coordinados que resuelve problemas acerca del comportamiento humano y las enfermedades psicosomáticas. Combina una técnica funcional y un método minuciosamente validado para aumentar la cordura al borrar sensaciones indeseadas y emociones desagradables. Página 1.

Dianética, símbolo de: el símbolo de Dianética tiene la forma triangular de la letra griega *delta* como su forma básica. Está formada por barras verdes (que representan el crecimiento) y barras amarillas (que representan la vida). Las cuatro barras verdes representan las cuatro dinámicas de Dianética: supervivencia como (I) uno mismo, (II) sexo y familia, (III) grupo y (IV) Humanidad. Página 2.

Diario de Scientology: revista para scientologists que se publicó dos veces al mes de 1952 a 1955. El *Diario de Scientology* contenía artículos técnicos, información de interés general para los afiliados, noticias generales y cosas por el estilo. Página 51.

diatriba: discurso o escrito violento e injurioso contra alguien o algo. Página 23.

difamatorio: relativo a la *difamación,* declaraciones falsas sobre alguien que tienen la intención de dañar la buena opinión que la gente tiene de él. Página 142.

dilucidar: poner claro un asunto o una cuestión. Página 41.

diluvio, el mito del: la historia de una inundación masiva que cubrió la Tierra hace miles de años. La inundación (diluvio) destruyó a todos los seres vivientes con excepción de aquellos a quienes Dios permitió sobrevivir. Historias similares aparecen en diferentes tradiciones religiosas de muchos pueblos, incluyendo pueblos nativos de América, del Oriente Medio, del sur de Asia y otros. Página 31.

dinámico: **1.** Del griego *dynamikos,* fuerte. De ahí, relativo a una fuerza motivadora o portadora de energía (de la existencia o de la vida) como en Principio Dinámico de la Existencia. Página 36.
2. Involucrando o relacionado con la energía y las fuerzas que producen movimiento. Página 77.

diploma(s): premio otorgado para representar estudio y práctica desempeñados y una habilidad lograda. Un diploma no es un título ya que indica competencia, mientras que los títulos normalmente sólo simbolizan el tiempo empleado en un estudio teórico y no indican ningún índice de destreza. Página 68.

discernir: percibir o reconocer mentalmente; comprender. Página 31.

discípulo: seguidor y alumno de un de un maestro espiritual. Página 18.

discurso: conversación o discusión formal acerca de algo. Página 2.

diseños del cuerpo, las ruedas y las alas: dibujos que muestran cómo construir las partes de un aeroplano, especialmente el cuerpo, las ruedas y las alas. Página 24.

disipar: hacer que algo se desvanezca, decaiga e desaparezca. Página 13.

división del átomo: la división del núcleo del átomo (la región central de los átomos, que consiste de diminutas partículas estrechamente unidas y contiene la mayor parte de la masa) y la subsecuente producción de grandes cantidades de energía, como se puede ver en una reacción nuclear. A principios de la década de 1930, los científicos en Cambridge, Inglaterra, fueron los primeros en dividir el átomo. Página 23.

Doctor de Teología: ministro ordenado de la Iglesia de Scientology a quien se le permite casar, enterrar y bautizar a los parroquianos como también realizar confesiones. Página 67.

dogma: creencia o grupo de creencias que una religión considera verdaderas. Página 52.

dub-in: añadir, insertar o poner una cosa junto a algo más. *Dub-in* es un término que se usa para referirse a una visión o recuerdo imaginario. El término viene de la industria cinematográfica. Hacer "dub" en el cine es crear y añadir sonidos a una película después de terminar la filmación. Este proceso ("dubbing" o doblar) tiene como resultado una banda sonora fabricada que al público le parecerá que ocurrió cuando se rodó la imagen, pero gran parte de ella o toda ella se creó en el estudio mucho después de que se terminara la filmación, y luego se le hizo "dub-in". Página 106.

Durant, Will: William (Will) James Durant (1885-1981), autor estadounidense, historiador y divulgador de la filosofía. El libro de Durant *La Historia de la Filosofía* (1926) explica en un lenguaje simple las ideas centrales de los filósofos más grandes del mundo y habla de sus vidas. A pesar de las críticas de muchos críticos y eruditos que condenaron el libro por su estilo simplificado y fácil de entender para el lector común, La Historia de la Filosofía fue inmensamente popular, vendiendo millones de ejemplares en una docena de idiomas. Página 147.

E

ecuación: **1.** Término matemático que expresa una igualdad entre dos cosas o expresiones. Por ejemplo, 3x = 9 es una ecuación que significa que 3 veces x es igual a 9. (De esta ecuación uno calcula que x = 3). Página 22. **2.** Situación que tiene una cantidad de elementos variables a considerarse. Página 36.

ecuménico: que se relaciona, involucra o promueve la unidad de las iglesias cristianas de todo el mundo. Página 101.

egocéntrico: que se concentra exclusiva o principalmente en sus propios intereses, en su bienestar, etc.; egoísta. Página 137.

electrón: partícula diminuta de materia que es mucho más pequeña que un átomo y tiene una carga eléctrica negativa. Los electrones forman parte de todos los átomos y se cree que rotan alrededor del centro del átomo. Página 23.

electrónica: ciencia que se ocupa del diseño, desarrollo y utilización de aparatos y sistemas que usan el flujo de energía eléctrica, tales como la radio, la televisión, las computadoras, los cohetes, etc. Página 125.

élite del poder: alianza muy unida compuesta de militares, gobernantes y jefes de corporaciones consideradas como el centro de la riqueza o el poder político en Estados Unidos. Página 136.

Elizabeth, Nueva Jersey: ciudad del noreste de Nueva Jersey, EE.UU., que fue la ubicación de la primera Fundación Hubbard de Investigación de Dianética de 1950 a 1951. Página 31.

elucidación: explicación o aclaración de algo. Página 99.

eludir: referido a una dificultad o a un problema, esquivarlos, rechazarlos o no aceptarlos. Página 40.

emanación: algo que fluye hacia fuera, como desde una fuente u origen. Página 68.

embrión: criatura humana que aún no ha nacido, en sus primeras etapas de desarrollo, específicamente desde la concepción hasta aproximadamente la octava semana. Página 42.

Empédocles: (490 - 430 a. C.) filósofo, estadista y poeta griego. Aseguró que todas las cosas estaban compuestas de cuatro elementos básicos: tierra, aire, fuego y agua. Su punto de vista sobre la evolución era que los humanos y animales evolucionaron de formas anteriores. Página 22.

empíricamente: que se basa en la observación o experimentación, no en teorías. Página 52.

engatusar: ganar la voluntad de alguien con halagos para conseguir de él alguna cosa. Página 82.

enigma: algo que es difícil de comprender o presenta un problema que debe ser resuelto. Página 19.

enmohecerse: llenarse de moho (tipo de hongo que causa deterioro en la materia). Se usa en sentido figurado para indicar que algo se vuelve viejo, se ignora o ya no se usa. Página 1.

entretejido: introducido o conectado con un todo más grande. Página 33.

epigrama: pensamiento de cualquier género, expresado con brevedad y agudeza. Página 21.

equiparar: referido a dos o más cosas, considerarlas iguales o equivalentes. Página 36.

era glaciar: periodo en la historia de la Tierra en que el hielo cubría la mayor parte del planeta y la atmósfera era mucho más fría. La *"última era glaciar"* se refiere a la era glaciar más reciente, que terminó hace diez mil años. Página 31.

Eratóstenes: (276 - 195 A. C.) geógrafo, astrónomo y matemático griego. Página 20.

esclavista: alguien que domina o controla a otros. Literalmente, un esclavista es alguien que es propietario de otras personas que no tienen libertad o derechos personales. Página 148.

escollo: impedimento, dificultad, inconveniente para el progreso o la comprensión de algo. Página 129.

esencia: se refiere a algo que existe, en especial lo que es espiritual e inmaterial. Página 7.

esferas cristalinas: capas giratorias, concéntricas y transparentes en las que se creía que los cuerpos celestiales estaban fijos mientras se movían alrededor de la Tierra. Página 20.

especialización: proceso de llegar a ser un experto en una destreza, área de estudio o función específica; concentrarse en un actividad o producto en particular. Página 24.

especulativo: se dice de las obras que usualmente se considera que incluyen fantasía, horror, ciencia ficción y temas similares, en las que se describen mundos distintos al mundo real. Página 89.

estandarte: principio, causa o filosofía que guía; del significado literal de *estandarte:* bandera como la que utiliza un país o un rey en una batalla. Página 53.

estética: estudio o teoría de la belleza y de las reacciones que suscita; específicamente, la rama de la filosofía que trata del arte, sus fuentes creativas, sus formas y sus efectos. Página 68.

estímulo-respuesta: cierto estímulo (algo que pone en acción o da energía a una persona o cosa o que produce una reacción en el cuerpo) automáticamente genera cierta respuesta. Página 37.

estratosfera: zona superior de la atmósfera, desde los 12 a los 100 kilómetros de altura. Página 25.

Estrecho de Puget: bahía larga y estrecha del Océano Pacífico en la costa de Washington, un estado al noroeste de Estados Unidos. Página 7.

estrellas del horizonte: al salir, las estrellas se hacen visibles en el horizonte; los primeros astrónomos usaron este fenómeno para determinar la posición de esas estrellas y el tiempo de su aparición. Página 23.

eterno: sin principio o fin; que dura para siempre; que existirá siempre. Página 101.

etnología: ciencia que analiza las culturas, especialmente en cuanto a su desarrollo histórico y las similitudes y diferencias que hay entre ellas. Página 75.

Euclides: (alrededor del año 300 A. C.) matemático griego cuya obra principal, *Los Elementos* (una colección completa de trece volúmenes la cual abarca la geometría, la teoría de los números y otros temas relacionados), se utilizó como texto estándar de instrucción durante 2,000 años. Una versión modificada de los primeros volúmenes todavía forma la base de la instrucción en ciertos campos de las matemáticas. Página 125.

evangelista: persona que intenta convertir a otros a la fe cristiana, especialmente predicando en público. Página 52.

exhaustivo: que no deja nada sin examinar o considerar; completo; minucioso. Página 31.

exteriorización: acción de salirse del cuerpo. Página 123.

extrapolar: usar hechos conocidos como punto de partida para sacar conclusiones sobre algo que se desconoce. Página 31.

F

factor X: elemento o circunstancia importante pero desconocido. Página 10.

fascista: relacionado con el *fascismo,* sistema de gobierno dirigido por un dictador quien tiene todos los poderes, suprime por la fuerza a la oposición y a la crítica, y reglamenta toda la industria, el comercio, etc. Página 130.

fenicios: habitantes de *Fenicia,* antiguo reino en el extremo oriental del mar Mediterráneo, famoso por el amplio alcance de su comercio. Estaba donde actualmente se localizan Siria y Líbano. Página 26.

feto: ser humano nonato (que no ha nacido todavía) y que se encuentra en la matriz, desde el segundo mes de embarazo hasta el nacimiento. Página 41.

filosofía: amor, estudio o búsqueda de la sabiduría o del conocimiento de las cosas y sus causas, sean teóricas o prácticas; estudio de las verdades o principios en que se basa todo conocimiento, realidad o conducta. Del griego *philos,* amor y sophía, sabiduría. Página 1.

Filosofía Natural: estudio de la naturaleza y el universo físico o de los objetos y fenómenos naturales. Página 125.

Filosofía Sintética: referencia a *Un Sistema de Filosofía Sintética,* obra escrita por el filósofo inglés Herbert Spencer (1820-1903), donde bosquejó un plan para un sistema completo de filosofía, basado en la evolución, que abarcaba e integraba todos los campos existentes de conocimiento. Página 7.

filósofo: alguien que estudia o practica la filosofía. *Véase también* **filosofía.** Página 2.

física: ciencia que estudia la materia, la energía, el movimiento y la fuerza, incluyendo la naturaleza de estas cosas, por qué se comportan como lo hacen y la relación que hay entre ellas. Página 22.

física nuclear: rama de la física que estudia el comportamiento, la estructura interna y las fuerzas de la parte central de un átomo (conocida como *núcleo*), y que forma casi toda la masa del átomo. Página 56.

fonográfica, grabación: grabación en un disco de vinilo (un tipo de plástico), normalmente de unos 30 cm de diámetro, con surcos en los que se graba música, voz u otros sonidos. Se baja una aguja sobre el disco que está dando vueltas sobre una plataforma redonda y giratoria. La aguja encaja en las ranuras del disco y el sonido grabado en los surcos pasa a los altavoces para su reproducción. Página 42.

forense: funcionario responsable de investigar muertes repentinas, violentas o inusuales. Página 85.

forjar: fabricar o formar. Del significado literal de *forjar,* dar forma con el martillo a cualquier pieza de metal. Página 152.

formular: expresar en una forma precisa, definida o sistemática. Página 36.

fornido: persona fuerte, vigorosa. Página 60.

fotómetro: instrumento para medir la intensidad de la luz. Página 81.

fotómetro Koenig: aparato antiguo que mostraba una representación visual de las ondas de sonido, inventado por el físico alemán Karl Rudolf Koenig (1832–1901). Una persona podía hablar hacia un dispositivo en forma de caja que suministraba gas a un quemador. La voz afectaba el flujo del gas de modo que la llama fluctuaba y variaba en altura proporcionalmente a las ondas del sonido. Esto se reflejaba entonces en un espejo rotativo de muchas facetas, colocado por encima de las llamas, produciendo una brillante banda de luz con caídas y curvas definidas que correspondían con los impulsos sonoros. Página 81.

frenéticamente: con una actividad frenética y constante; de una forma apresurada e impulsiva, como si las cosas casi no estuvieran bajo control. Página 61.

Freud, Sigmund: (1856–1939) fundador austriaco del psicoanálisis que enfatizó que las memorias inconscientes de naturaleza sexual controlan el comportamiento humano. Página 75.

Fundación: cualquiera de las primeras Fundaciones de Investigación de Dianética Hubbard que se encontraban a lo largo y ancho de Estados Unidos, y donde se entrenaba a los estudiantes en Dianética. Página 90.

fundamentalista: relacionado con el *fundamentalismo,* movimiento conservador entre los Protestantes de Estados Unidos que empezó a finales del siglo XIX. Se oponía enérgicamente a los intentos de reconciliar las creencias y doctrinas cristianas tradicionales con la experiencia y los conocimientos contemporáneos, y a aceptar una visión científica del mundo. Página 52.

fusión: mezcla, combinación o unión de una cosa con otra. Página 52.

G

Gamow, George: (1904–1968), físico estadounidense nacido en Rusia que llevó a cabo investigaciones de física nuclear mientras fue profesor en la Universidad George Washington. Tuvo un papel esencial en el lanzamiento del proyecto para desarrollar bombas atómicas para los Estados Unidos durante la Segunda Guerra Mundial (1939-1945). Página 81.

Gautama: Siddarta Gautama Buda (563-483 A. C.), filósofo hindú y fundador del *budismo,* una de las grandes religiones del mundo. Buda significa "El Iluminado". Tras experimentar la iluminación por sí mismo, Buda intentó encontrar el medio de liberar del sufrimiento de la vida a otras personas, de modo que pudieran alcanzar un estado de completa paz y felicidad. Para lograr esto, la gente tenía que liberarse de todo deseo y de las cosas materiales. Página 65.

glandular: que consiste en glándulas (células, grupos de células u órganos del cuerpo que producen una secreción). Por ejemplo, las glándulas suprarrenales producen *adrenalina,* una hormona que se libera en la corriente sanguínea como respuesta a la tensión física o mental, por miedo a una lesión. Da inicio a muchas respuestas corporales, incluyendo la estimulación de la acción del corazón y el incremento de la presión sanguínea. Página 89.

gnóstico: relacionado con el *gnosticismo,* una filosofía religiosa entre los primeros cristianos que creían en la salvación a través de la gnosis, un conocimiento especial de los misterios espirituales. Los gnósticos explicaban que el mundo abarcaba dos aspectos opuestos, el bien y el mal. Cada persona era una combinación de espíritu, que era bueno, y materia, que era mala. La filosofía promulgaba la repulsión del mundo material para que el espíritu pudiera alcanzar la gnosis y reunirse de nuevo con Dios. Página 51.

gobernador: funcionario elegido o seleccionado que gobierna un área como una colonia, una provincia o algo similar, durante un periodo específico. Página 141.

goleta: buque de vela con las velas dispuestas longitudinalmente (las velas de proa y de popa) y que tiene de dos a siete mástiles. Página 139.

"Gott Mit Uns": frase alemana que significa "Dios con nosotros", un lema que estaba grabado en las hebillas de los cinturones de los uniformes de los soldados alemanes durante la Primera Guerra Mundial (1914-1918) y la Segunda Guerra Mundial (1939-1945). Página 129.

grabación fonográfica: grabación en un disco de vinilo (un tipo de plástico), normalmente de unos 30 cm de diámetro, con surcos en los que se graba música, voz u otros sonidos. Se baja una aguja sobre el disco que está dando vueltas sobre una plataforma redonda y giratoria. La aguja encaja en las ranuras del disco y el sonido grabado en los surcos pasa a los altavoces para su reproducción. Página 42.

grabadora: *grabadora de cintas,* máquina para grabar el sonido como señales eléctricas en una cinta magnética, una tira delgada, por lo general de material plástico. La cinta está recubierta con partículas de metal que se magnetizan y así graban los sonidos. Página 92.

gracia: elegancia o belleza en la forma, manera, movimiento o acción. Página 60.

gradiente: moverse o cambiar gradualmente por pasos o por etapas. Página 120.

Grado VA: paso intermedio justo por arriba de Grado V (Poder). Grado VA, Poder Plus, consiste de Procesos de Poder adicionales. El manejo del Grado VA reduce partes de la línea temporal completa y permite la recuperación del conocimiento. Página 123.

Gremio Estadounidense de Ficción: organización nacional de escritores de ficción para revistas y de novelistas en Estados Unidos en la década de 1930. L. Ronald Hubbard fue presidente de la rama neoyorquina en 1936. (Un *gremio* es una organización de personas con intereses y objetivos comunes, en especial una organización que se forma para proporcionar ayuda y protección a sus miembros). Página 89.

griegos jónicos: filósofos que vivieron y enseñaron en las colonias griegas de la zona jónica, una región antigua al oeste de la costa de Asia Menor (región histórica en el oeste de Asia que ahora corresponde a parte de Turquía) y en las islas cercanas del Mar Egeo. Los filósofos jónicos concebían que el mundo estaba hecho de elementos físicos (agua, pequeñas partículas de materia o cosas similares), todas controladas por un principio guía que no era físico. Página 22.

H

habitable: apropiado o suficientemente bueno como para vivir en él. Página 61.

Harvey, William: (1578-1657), médico inglés que, usando procedimientos científicos y experimentación, descubrió que la sangre circula y que el corazón la impulsa por el cuerpo, refutando así las teorías previas. Página 37.

Heráclito: (¿540?-¿480? A. C.) filósofo griego que creía que el fuego era la fuente original de la materia y que el mundo entero está en un estado constante de cambio. Página 125.

Hermitage House: empresa editorial en la ciudad de Nueva York, Estados Unidos, fundada en 1947 por el editor Arthur Ceppos (1910-1997). En mayo de 1950, Hermitage House fue la primera en publicar *Dianética: La Ciencia Moderna de la Salud Mental.* Página 90.

híbrido: producto de elementos de distinta naturaleza. Página 26.

Himalaya: cordillera que se extiende a lo largo de 2,400 kilómetros a lo largo de la frontera entre la India y el Tíbet, en ella se encuentran algunas de las montañas más altas del mundo, incluyendo al Monte Everest. Página 120.

hindú: **1.** Nativo de la India, en especial alguien que sigue la religión del *hinduismo,* religión de la India que pone énfasis en la libertad del mundo material a través de la purificación de los deseos y la eliminación de la identidad personal. Las creencias hindúes incluyen la reencarnación. Página 18.
2. También *hindi,* uno de los idiomas de la India. Página 65.

hipótesis: suposición de una cosa posible o imposible para sacar de ella una consecuencia. Página 20.

Historia de la Filosofía, La: título de un libro publicado en 1926 por el autor estadounidense, historiador y divulgador de la filosofía Will Durant (1885-1981). El libro explica en un lenguaje simple las ideas centrales de los filósofos más grandes del mundo y habla de sus vidas. A pesar de las críticas de muchos críticos y eruditos que condenaron el libro por su estilo simplificado, fácil de entender para el lector común, *La Historia de la Filosofía* fue inmensamente popular, vendiendo millones de ejemplares en una docena de idiomas. Página 147.

hito: cambio significativo o momento crítico en algo; un *hito* es un suceso, idea o elemento que representa un desarrollo significativo o histórico. Página 33.

hoja de servicio: registro de la vida laboral de una persona en una rama del servicio militar. Por ejemplo, la hoja de servicio de la marina contiene documentos como el certificado de nacimiento, diplomas escolares, cartas de recomendación, contratos de reclutamiento, registros de cumplimiento, registro médico, rango, etc. Página 149.

hombre: la raza o especie humana; la humanidad. Página 2.

Homero: poeta griego del siglo IX A. C. mejor conocido por sus escritos épicos la *Ilíada* y la Odisea. La Ilíada trata de Aquiles, héroe y soldado griego en la guerra de Troya. La Odisea describe a otro héroe griego, Odiseo, en un viaje de diez años rumbo a su hogar, y la forma en que varios dioses griegos se involucran en sus aventuras. Como resultado de las obras de Homero, los griegos formaron muchos de sus puntos de vista religiosos basándose en las descripciones que él hizo de los dioses y diosas. Página 20.

Hospital Naval de Oak Knoll: hospital naval situado en Oakland, California, Estados Unidos, donde LRH pasó un tiempo recuperándose de las lesiones sufridas durante la Segunda Guerra Mundial (1939-1945), e investigando los efectos de la mente en la recuperación física de los pacientes. Página 31.

Hospital Saint Elizabeth: hospital psiquiátrico subvencionado por el gobierno para enfermos mentales y dementes criminales, fundado a mediados del siglo XIX en Washington D.C. Página 76.

humanidad: cualidad de ser humano; sincero y honesto; benevolente. Página 149.

humanidades: ramas del aprendizaje que conciernen al pensamiento humano y las relaciones humanas, especialmente la filosofía, la literatura, la historia, el arte, los idiomas, etc., que son diferentes a las ciencias naturales (ciencias como la biología, la química y la física que estudian fenómenos que se observan en la naturaleza); las ciencias sociales que incluyen la sociología (ciencia o estudio del origen, el desarrollo, la organización y el funcionamiento de la sociedad humana), la psicología, la economía, las ciencias políticas, etc. En un principio, las humanidades se referían a la educación que permitía que una persona pensara libremente y juzgara por sí misma, lo que se opone a un estudio limitado de destrezas técnicas. Página 35.

I

ideología: conjunto de ideas o valores que caracterizan una forma de pensar o que marcan una línea de actuación. Página 56.

Iglesia de Cristo: nombre común de un grupo de iglesias; las *Iglesias de Cristo* son congregaciones independientes que por determinación propia no tienen una organización general formal y están asociadas unas con otras a través de su fe en la Biblia y de su apego a sus enseñanzas. Página 52.

Iglesia Fundacional: Iglesia Fundacional de Scientology en Washington, D.C., establecida en 1955. Una *iglesia fundacional* es la iglesia a partir de la cual se fundan otras iglesias y de la que se deriva su autoridad. Página 76.

iluminación: ilustración espiritual o intelectual, se compara con el hecho de suministrar luz a algo. Página 115.

ilusorio: que tiene cualidades de *ilusión*, como cuando se cree que algo es irreal, imaginario o algo similar. Página 11.

imagen de la imagen... en la caja de cereal: referencia a la caja de los cereales de avena producidos por la compañía Quaker Oats, un fabricante internacional de productos alimenticios. La caja de Quaker Oats mostraba un cuáquero (Quaker) (miembro de una denominación cristiana fundada en Inglaterra en el siglo XVII) vestido con ropa del siglo XVIII y con un sombrero negro de ala ancha, sosteniendo una caja de Quaker Oats, donde se encontraba la misma imagen, pero más pequeña, del cuáquero sosteniendo una caja de Quaker Oats y así sucesivamente. Página 83.

imaginería: conjunto de imágenes usadas por un autor, escuela o época. Página 115.

impala: antílope africano, caracterizado por tener los cuernos finos, anillados y dispuestos en forma de lira. Página 80.

impecablemente: de forma que cumpla con los estándares más altos; a la perfección. Página 94.

impenetrable: que no se puede comprender o descifrar. Página 147.

implícito: que se insinúa, que no se expresa directamente. Página 115.

indulgencia: en el catolicismo romano, libertad de parte o todo el castigo por los pecados que se han perdonado, mediante la autoridad eclesiástica. Tales penitencias (oración, ayuno, etc.), se consideran necesarias ya que, aunque la persona está arrepentida de sus pecados y esos pecados hayan sido perdonados, las consecuencias y debilidades del pecado siguen estando con la persona. En épocas pasadas, la persona podía dar dinero por la indulgencia en lugar de recibir castigo. Página 101.

inequívoca: de manera concluyente y absoluta; no sujeto a condiciones o excepciones. Página 9.

inexorable: que no se puede evitar. Página 22.

infalible: que no puede fallar o equivocarse; que es seguro. Página 20.

infamia: descrédito; deshonra. Página 141.

inflación: situación en que la cantidad de dinero que hay en circulación es mayor que la cantidad de bienes existentes, dando como resultado un alza continua en el nivel general de los precios. Página 130.

ingles-irlandés: persona de origen inglés que vive en Irlanda, o que tiene antepasados ingleses e irlandeses. Página 18.

inherente: que existe en el carácter interno de alguien o algo como elemento permanente e inseparable. Página 9.

inorgánico: que no tiene su origen en el cuerpo ni en sus partes (como sus órganos). Página 35.

inquebrantable: que persiste sin quebrarse, o que no puede quebrarse. Página 115.

insignia: símbolo, escudo o algo similar. La insignia original de Dianética, que es el *Símbolo de Dianética,* se diseñó en 1950. *Véase también* **Símbolo de Dianética.** Página 35.

interesado: Se aplica al que se preocupa excesivamente de obtener provecho material de las cosas. Página 143.

intereses creados: intereses especiales en proteger o promover lo que es ventajoso para uno; tratar de mantener o controlar una actividad, arreglo o condición existente de la que se saca beneficio personal. Página 130.

intrínsecamente: que pertenece a algo como uno de los elementos esenciales y básicos que lo conforman. Página 2.

irrefutable: que no admite duda ni disputa Página 52.

-ismos: creencias, teorías, sistemas o prácticas específicos; del sufijo *-ismo* que se usa en estas palabras. Página 79.

itinerante: que está en un lugar durante un tiempo relativamente corto y que luego se traslada a otro lugar. Página 52.

J

Janssen: compañía de pianos fundada a principios del siglo XX en la ciudad de Nueva York por Bernhard H. Janssen (1862-1933), quien creó un negocio familiar conocido por sus instrumentos de alta calidad. Página 68.

Judah, Stillson: distinguido profesor de historia religiosa en la Pacific School of Religion (Escuela de Religión del Pacífico), Berkeley, California, y Director de Bibliotecas en la Graduate Theological Union (Unión Teológica a Nivel Maestría), también en Berkeley. El Judah fue autor de algunas obras sobre religiones nacientes. Página 3.

K

Kant: Emmanuel Kant (1724-1804), filósofo alemán que afirmaba que los objetos de la experiencia (fenómenos) pueden conocerse, pero que las cosas que están más allá del ámbito de una posible experiencia (como la libertad humana, el alma, la inmortalidad o Dios), no se pueden conocer. Esto desalentó la continuación de la investigación sobre la verdadera identidad y alma del hombre. Página 22.

knowingness: estado o cualidad de saber. En Scientology es un término especializado. Knowingness no son datos. Es una sensación de certeza. Como mejor puede definirse es: "saber que uno sabe". El verdadero knowingness es una capacidad de conocer la verdad y determinarla en su interior. Página 65.

Knowledge Cone (Cono del Conocimiento, El): tabla que muestra el conocimiento, empezando con una simplicidad básica (en un punto superior del cono) y abriéndose hacia una complejidad cada vez mayor conforme el cono se expande hacia abajo. El nivel inferior incluye campos y temas, como la guerra, la política, etc., que se encuentran en las sociedades humanas y en los que el hombre tiende a concentrarse, sin tener en cuenta las verdades más altas y más simples del cono. La tabla también muestra que este nivel inferior es una visión o comprensión de las cosas muy cercana, pero limitada.

L

laberinto: cosa confusa y enredada. Página 117.

laico: relacionado con la gente en general y con sus actividades, a diferencia de los miembros del clero. Página 67.

lama: del *lamaísmo,* una forma de budismo que se practica en el Tíbet y en Mongolia. *Véase también* **lamaserías tibetanas.** Página 90.

lamaserías tibetanas: monasterios de los *lamas,* sacerdotes o monjes del lamaísmo, una rama del budismo que intenta encontrar la liberación de los sufrimientos de la vida y obtener un estado de felicidad y paz totales. El lamaísmo se practica en el Tíbet, un territorio en el centro de la zona sur de Asia, y en áreas como Mongolia, un país al norte de China. Página 75.

Lao-tse: (alrededor del siglo sexto A. C.) filósofo chino y fundador del taoísmo. Según la leyenda, escribió el *Tao Te Ching* (El Clásico del Camino y la Virtud), que tuvo una enorme influencia en el pensamiento y la cultura chinos. Esta obra enseña que, debido a que ceder (ante presiones o exigencias) a la larga supera a la fuerza, un hombre sabio no desea nada. Nunca interfiere con lo que sucede de manera natural en el mundo o dentro de sí mismo. Página 65.

Las Mil y una Noches: colección de cuentos de Persia, Arabia, India, y Egipto, compilados a lo largo de cientos de años. Incluyen las historias de Aladino y Allí Babá y han llegado a ser muy populares en los países de Occidente. Página 13.

lazar: atrapar a un animal lanzándole un lazo. Página 140.

legendario: tema de una *leyenda,* historias y tradiciones sobre personas o cosas que poseen cualidades extraordinarias y que por lo general son parcialmente reales y parcialmente míticas. Página 3.

levadura: organismo unicelular microscópico capaz de convertir azúcar en alcohol y dióxido de carbono, y por lo tanto se usa para producir el alcohol de la cerveza y el vino, y para hacer que el pan se eleve. Página 41.

liberal: que no se limita a lo exacto o a lo literal. Página 130.

línea temporal completa: totalidad de la línea temporal de un individuo. La *línea temporal* es una grabación de los momentos consecutivos de su vida, que se remonta a todo el tiempo que ha vivido. Página 108.

-logía: estudio o conocimiento, usualmente alude a alguna ciencia o rama del conocimiento; por ejemplo, la biología (estudio de los organismos vivos), la geología (estudio de la historia física de la Tierra) o la etnología (estudio de las razas de la Humanidad). Página 79.

longitud de onda: es la distancia de pico a pico de una onda. Longitud de onda se usa aquí para referirse a las ondas específicas que se emiten o se registran, por ejemplo en un osciloscopio. *Véase también* **osciloscopio.** Página 53.

M

Manchuria: región al noreste de China. Manchuria fue invadida por los japoneses en 1931 y fue ocupada por las fuerzas japonesas hasta 1945, al final de la segunda guerra mundial (1939–1945). Página 75.

mandolina: instrumento musical de cuatro o más pares de cuerdas, de cuerpo curvado y parecido a la guitarra. Página 138.

mano mágica, agitar una: variación de *agitar una varita mágica,* se usa en sentido figurado con el significado de producir apariciones o resultados maravillosos en el entorno, como los efectos mágicos que se piensa que produce un mago y que vienen de causas sobrenaturales. Una varita mágica es un palito alargado que se emplea en los números de magia. Página 60.

mantener la cabeza bien alta: conservar la dignidad, la autoestima o la alegría. Página 142.

maremágnum: muchedumbre confusa de personas o cosas. Página 14.

maremoto de información: cantidad abrumadora de información, similar a un gran oleaje que hunde un barco. Página 24.

marioneta: títere manipulado desde arriba por hilos atados a sus extremidades. Página 38.

más allá: vida futura, vida o existencia después de la muerte. Página 129.

masas: gente común en la sociedad. Página 20.

matemáticas muertas: *muertas* significa que algo ya no se usa ni se practica. Matemáticas es el estudio de las relaciones entre números, formas y cantidades, usando números y símbolos. Matemáticas muertas se refiere a las matemáticas que ya no se consideran útiles. Página 139.

materialidad: cosas materiales; aquello que es material (que consiste o está formado de materia; físico); el mundo físico en oposición a la mente o el espíritu. Página 149.

materialismo: en filosofía, la teoría de que la materia física es la única realidad, y que todo, incluyendo el pensamiento, la voluntad y el sentimiento, se puede explicar en relación con fenómenos materiales y físicos. Página 79.

materialista: relacionado con el *materialismo. Véase también* **materialismo.** Página 2.

máxima: sentencia breve que resume un conocimiento esencial o una reflexión filosófica. Página 117.

mecanismo: estructura o sistema (de partes, componentes, etc.) que lleva a cabo una acción en particular como ocurriría en una máquina, como en *"observa por primera vez los mecanismos de la acción humana"* o *"el hombre contara con un mecanismo que grabara con una precisión diabólica".* Página 37.

memoria: cualquier cosa que, al percibirse, se archiva en el banco de memoria estándar y puede ser recordada por la mente analítica. Página 37.

mensurable: que se puede medir. Página 80.

mente analítica: mente que computa, el "yo" y su consciencia. Página 40.

metafísica: rama de la filosofía que estudia la naturaleza fundamental de la existencia o la naturaleza de la realidad última que está por encima de las leyes de la naturaleza, va más allá de ellas o es más que física. El término se aplicó en primer lugar a los escritos de Aristóteles (384-322 a. C.), y significa literalmente "después de la física", pues estos escritos aparecieron después de su obra titulada *La Física*. Página 20.

metáfora: palabra o frase que normalmente designa a una cosa que se usa para designar a otra mediante una comparación, como en "Un mar de problemas" o "Sus ojos son dos esmeraldas". Página 115.

meticulosamente: con cuidado extremo en los detalles más pequeños; con precisión. Página 47.

metódico: hecho de manera cuidadosa, lógica y ordenada. Página 1.

Michigan: estado en el centro de la zona norte de Estados Unidos. Página 100.

mielina, revestimiento de: materia blanquecina que rodea a algunas células nerviosas y facilita la transmisión de impulsos nerviosos. Antes de 1950, la teoría preponderante sostenía que el ser humano era incapaz de grabar memoria alguna hasta la formación del revestimiento de mielina, cosa que ocurre después del nacimiento. Página 42.

1870: fecha en que se originó la psicología moderna, a partir de las obras de Wilhelm Wundt (1832-1920), psicólogo y fisiólogo alemán. (Un fisiólogo se especializa en el estudio de las funciones de los seres vivos y la forma en que funcionan sus partes y órganos). Su obra dio impulso a la base fisiológica de la psicología y a la falsa doctrina de que el hombre no es más que un animal. Página 119.

minas de sal: minas de las que se extrae sal, la frase se usa para referirse a la práctica de sentenciar a los criminales a trabajar en minas de sal; por lo tanto pueden referirse a un lugar donde uno está encerrado o trabajando en una labor monótona. Página 82.

ministerio(s): servicios, deberes o actividades profesionales de un ministro religioso. Página 52.

ministro de estado: jefes de departamentos de un gobierno. Un *ministro* es una persona elegida para dirigir un departamento ejecutivo o administrativo del gobierno. Estado se refiere al gobierno de un país. Página 106.

minucioso: hecho con gran cuidado y esmero. Página 1.

misticismo: creencia de que el conocimiento directo o la unión con la verdad o lo divino (Dios, dioses o diosas) se logra mediante la percepción directa o la iluminación repentina en lugar de por medio del pensamiento racional. Página 36.

mitigar: disminuir o reducir en intensidad, cantidad, etc. Página 105.

mitología: conjunto de mitos de un pueblo en particular o relacionados con una persona específica. Un *mito* es un relato tradicional de autor desconocido, supuestamente con bases históricas, pero que generalmente muestra un fenómeno de la naturaleza, el origen del hombre o las costumbres, ritos religiosos, etc., de la gente. Los mitos usualmente se relacionan con las hazañas de dioses y héroes. Página 14.

Moisés: líder y maestro principal de los israelitas y uno de los personajes más importantes de la Biblia. Liberó a su pueblo de la esclavitud en Egipto para encontrar su patria en Palestina. En el Monte Sinaí (en Egipto), Moisés anunció los Diez Mandamientos como la ley para su pueblo. Ahí, los israelitas se establecieron como nación bajo su liderazgo. Página 65.

molécula de proteína perforada: moléculas perforadas en el cuerpo o la mente que se creía que almacenaban memorias. Página 84.

monopolio: posesión o control exclusivo de algo. Página 143.

Monroe, Escuela: escuela pública en Phoenix Arizona. A finales de 1954 y principios de 1955, L. Ronald Hubbard impartió semanalmente conferencias introductorias al público en general en el auditorio de la escuela. Página 53.

Montana: estado del noreste de Estados Unidos que hace frontera con Canadá. L. Ronald Hubbard vivió en Montana cuando era joven. Página 75.

motor: relativo al movimiento muscular. Página 38.

motor de combustión interna: un motor donde la combustión ocurre en un lugar cerrado llamado *cilindro*. Una mezcla de combustible y aire es introducida en el cilindro, donde la combustión crea una enorme presión de gases que se expanden rápidamente. La expansión repentina de los gases hace que el pistón baje en el cilindro, ese movimiento transfiere la fuerza mecánica a otras partes del motor o la maquinaria. Página 24.

Murphy, Bridey: identidad en una vida anterior de la Sra. Virginia Tighe, nacida en Estados Unidos en 1923. En 1952, Tighe fue paciente de un hipnotizador aficionado llamado Morey Bernstein. Estando bajo hipnosis, ella empezó a dar descripciones detalladas de personas, lugares y cosas relacionadas con una identidad de una vida anterior conocida como *Bridey Murphy,* que nació el 20 de diciembre de 1798, en Irlanda. Usaba términos que eran correctos para esa época y lugar, y así respaldó la validez de su identidad. Se grabaron los detalles de sus sesiones de hipnosis y se publicaron en un libro con el título de *La Búsqueda de Bridey Murphy,* que se convirtió inmediatamente en un best seller. El relato desencadenó una moda de tertulias sobre la reencarnación, artículos de revistas, canciones acerca de Bridey Murphy, e incluso una película. Página 105.

N

Napoleón: Napoleón Bonaparte (1769-1821), líder militar francés. Ascendió al poder en Francia por la fuerza militar, se declaró emperador y dirigió campañas de conquista a través de toda Europa. Una derrota en 1814 lo llevó al exilio en una pequeña isla al noroeste de Italia. Después de un breve regreso al poder y su derrota final en 1815, fue encarcelado en la pequeña isla montañosa de Santa Elena, al Sur del océano Atlántico. Página 106.

Naturaleza: poder físico que crea o reglamenta y que se concibe que actúa en el mundo material como la causa inmediata de todos sus fenómenos. A menudo se le representa con cualidades o características humanas; por ejemplo, cuando se habla de la Madre Naturaleza. Página 41.

nebuloso: falto de lucidez y claridad. Página 26.

nervio óptico: el nervio que lleva las señales desde el ojo hasta el cerebro. *Óptico* significa: relacionado con los ojos o la visión. Página 149.

neurológico: relacionado con los nervios y el sistema nervioso. Página 77.

neurólogo: médico entrenado en el campo de *neurología* la rama de la medicina que estudia el sistema nervioso y sus enfermedades. Página 77.

Newton: Sir Isaac Newton (1642–1727), científico y matemático inglés cuyos descubrimientos y teorías establecieron las bases de gran parte del progreso científico que ha tenido lugar desde entonces. También contribuyó enormemente a la comprensión de la luz, el movimiento y la gravedad. Página 20.

nexo: unión o vínculo de una cosa con otra. Página 52.

nicho: pequeño espacio en una pared; un lugar secreto. Página 13.

Nietzsche: Friedrich Nietzsche (1844-1900), filósofo y poeta alemán. Condenó toda religión y promovió la "moral de los maestros", la doctrina de perfeccionar al hombre mediante autoafirmaciones convincentes, y la glorificación del "superhombre". Nietzsche declaró que los valores tradicionales representaban una moralidad de esclavos y proclamó que "Dios estaba muerto". Página 88.

Nirvana: en el budismo y el hinduismo, el estado de libertad con respecto a los deseos mundanos, la extinción de la existencia individual y el ensimismamiento en el Espíritu Supremo, lo que lleva al fin del ciclo interminable del nacimiento y el renacimiento y el sufrimiento que eso conlleva. Página 131.

nombre del árbol: *árbol bodhi,* una higuera de la India que dura muchos años. Siddarta Gautama (alrededor del año 563-¿483? a.C.), fundador del budismo, alcanzó la iluminación mientras estaba sentado debajo de un árbol bodhi y por eso tiene un significado especial y los budistas lo consideran sagrado. Página 133.

nominal: ser algo sólo de nombre, no en realidad. Página 100.

Noroeste: la parte al noroeste de Estados Unidos, que incluye a Washington, Oregón e Idaho. Aquí se utiliza para referirse de manera específica a Washington. Página 31.

O

observatorio: edificio equipado con un gran telescopio para el estudio científico de los planetas y las estrellas. Página 20.

occidental: característico del *Occidente,* los países de Europa y las Américas. Página 82.

odisea: viaje o proceso lleno de aventuras; extenso trayecto o búsqueda intelectual o espiritual. Del antiguo poema griego del mismo nombre en el cual el poeta Homero describe las aventuras de Odiseo. *Véase también* **Homero.** Página 75.

oficial de línea: oficial del ejército o la marina que sirve con unidades de combate o buques de guerra, diferente a un oficial de suministros, un oficial de planificación, un consejero en cuarteles generales, etc. Página 89.

Oficina de Comunicaciones Hubbard: oficina de L. Ronald Hubbard que en un principio se organizó con el propósito de manejar y hacer más eficientes las líneas de comunicación de LRH. Más tarde, la Oficina de Comunicaciones Hubbard se convirtió en una de las divisiones de cada organización de Scientology y se le asignó la responsabilidad de construir la organización, sostenerla, conservarla y dotarla de personal. Página 101.

orador: de, relacionado con o característico de un *orador,* alguien que pronuncia discursos o imparte conferencias. Página 88.

Organigrama: llamado también *Tablero de Organización*, tabla grande que se usa en las Iglesias de Scientology. La tabla o el tablero se presenta de acuerdo a un modelo preciso. Muestra las funciones, los deberes, la secuencia de acciones y las autoridades de la organización. Página 108.

organillo: instrumento musical con forma de órgano o de piano pequeño, generalmente portátil que tiene un mecanismo interior formado por un cilindro con púas que, al hacerse girar mediante una manivela, levanta unas láminas metálicas y las hace sonar. Página 106.

Oriente: países del este de Asia, especialmente China, Japón y sus vecinos. Página 82.

ortodoxia: el estado de ser *ortodoxo,* pensar y actuar conforme al dogma de una religión. Página 101.

ortodoxo: que se apega a las creencias usuales o a las doctrinas establecidas. Página 52.

osciloscopio: instrumento electrónico que muestra señales eléctricas cambiantes. Las señales aparecen como líneas onduladas o en forma de otros patrones en una pantalla. Página 53.

oscurantismo: periodo de la historia europea del siglo V d. C. hasta el siglo X. El término hace alusión a la oscuridad intelectual, es decir, la carencia de aprendizaje y educación durante este periodo, la pérdida de muchas destrezas artísticas y técnicas, y la virtual desaparición del conocimiento de las civilizaciones griega y romana anteriores. Página 125.

oso Kodiak: oso de gran tamaño y de color pardo que habita en la isla Kodiak (frente a la costa suroeste de Alaska), en las zonas costeras de Alaska y en la costa oeste de Canadá. Este oso puede alcanzar una altura de 2.7 metros y un peso de aproximadamente 780 kilogramos. Página 140.

P

Pacífico Sur: región del océano Pacífico al sur del ecuador, incluyendo sus islas. Se extiende desde el ecuador hasta la Antártida. Página 139.

pájaro ancestral: que pertenece a una generación anterior o a la generación más antigua (de un tipo de pájaro). Página 10.

Parménides: (¿515?-¿450? A. C.) filósofo griego, considerado por muchos como el filósofo griego más importante entre los primeros filósofos, antes de Sócrates. Parménides dedujo la naturaleza de la realidad a partir de argumentos lógicos, a diferencia de los filósofos griegos anteriores que explicaron el origen del mundo en términos de sustancias materiales, como el aire y el agua. Página 125.

partidario: defensor o seguidor de una idea, una persona o un movimiento. Página 1.

Pasteur, Louis: (1822-1895), químico francés que a finales del siglo XIX formuló *la teoría microbiana de la enfermedad,* que dice que la enfermedad se transmite por gérmenes que atacan al cuerpo. Se hizo célebre por su descubrimiento de que la producción deseada de alcohol en el proceso de fermentación sucede de hecho debido a la levadura (un pequeño organismo unicelular). Encontró que el vino se vuelve amargo debido a los gérmenes que entran en él mientras se está haciendo, y mostró que estos gérmenes pueden destruirse mediante la aplicación de calor controlado. Esto llegó a conocerse como pasteurización y también se aplicó para destruir los gérmenes en la leche. (La fermentación es un proceso químico que descompone materiales orgánicos como ocurre cuando el organismo microscópico de la levadura descompone el azúcar en alcohol y gas de dióxido de carbono). Página 41.

Pelley: William Dudley Pelley (1890-1965), autor estadounidense. En 1928, Pelley afirmó que había tenido una experiencia fuera del cuerpo, la cual describió en detalle en el panfleto "Mis Siete Minutos en la Eternidad". Página 85.

peón: algo que puede usarse para ventaja propia. Página 63.

perdurable: que continúa sin cambio; subsiste, es duradero. Página 18.

perspectiva: punto de vista específico al entender o juzgar cosas o sucesos, especialmente cuando muestra las relaciones que tienen entre sí. Página 3.

Phoenix, Arizona: ciudad capital de Arizona, un estado en el sudoeste de Estados Unidos, donde LRH impartió aproximadamente quinientas conferencias grabadas durante la década de 1950. Página 51.

piedra angular: literalmente, piedra que forma la base de una esquina de un edificio uniendo dos de sus muros. Por tanto, una base fundamental a partir de la cual las cosas se han construido o desarrollado. Página 1.

Pies Negros, tribu de los: grupo de pueblos indígenas de América del Norte que incluye a los Pies Negros de Montana y a varias tribus que ahora viven en Canadá. Este grupo controlaba zonas por las que peleaban los comerciantes de pieles en el siglo XIX. Página 75.

pigmeo: de un conjunto de pueblos diseminados por regiones africanas y asiáticas, que se caracterizan por ser de muy baja estatura y por tener la piel oscura y el cabello crespo. Página 144.

Pitágoras: (582-500 A. C.) filósofo y matemático griego que fundó una escuela en el sur de Italia que enfatizaba el estudio de la armonía musical y la geometría; se le considera el primer matemático auténtico. Página 20.

planeador: aeronave sin motor, más pesada que el aire y con estructura de avión, que se sustenta y avanza aprovechando solamente las corrientes atmosféricas. Página 82.

Platón: (¿427?–347A. C.) filósofo griego famoso por sus obras sobre la ley, las matemáticas, problemas filosóficos técnicos y ciencias naturales. Una de sus obras más famosas, la *República,* escrita en forma de diálogo, es un estudio sobre la naturaleza de la justicia y la organización de una sociedad perfecta. Página 22.

polio: abreviatura de *poliomielitis,* enfermedad ampliamente extendida en la década de 1950, que generalmente se producía en niños y jóvenes. Afectaba al cerebro y a la médula espinal, causando a veces pérdida del movimiento voluntario y atrofia muscular (pérdida de fuerza o sustancia musculares). Página 102.

polisílaba: que consiste en varias sílabas, especialmente cuatro o más; (las sílabas son palabras o partes de palabras pronunciadas en una sola emisión de voz). Página 83.

político: relativo a la *política,* la ciencia o práctica de gobernar; la reglamentación y dirección de una nación o estado para preservar su seguridad, paz y prosperidad. El gobierno es la entidad que controla a una nación, estado o pueblo y que dirige su política, sus acciones y sus asuntos. Página 7.

Polo, Marco: (1254-1324) viajero y escritor originario de Venecia, Italia, cuyos relatos de sus viajes y experiencias en China ofrecieron a los europeos una visión de primera mano de las tierras de Asia y estimularon el interés en el comercio con Asia. Página 75.

Port Orchard: centro turístico y comunidad pesquera en el oeste del estado de Washington, en el Estrecho de *Puget,* una bahía larga y angosta del Océano Pacífico en la costa noroeste de Estados Unidos. Página 7.

Pórtico de las Cariátides: parte de un templo en la Acrópolis que se construyó entre el año 421 y 406 A. C. para honrar a los legendarios fundadores de Atenas y para alojar el objeto más sagrado de la ciudad, una estatua antigua de Atena, la diosa patrona y protectora de Atenas. Las columnas del pórtico son esculturas de doncellas, que se cree que representan a las jóvenes que participaban en la procesión religiosa que honoraba a la diosa. Página 133.

Portsmouth: referencia a la Prisión Naval de Portsmouth, parte del astillero naval de Portsmouth. Este astillero fue construido en 1790 y se encuentra en Kittery, Maine. Kittery está situada al otro lado de

Portsmouth, New Hampshire, sobre el río Piscataqua. Ambos, Portsmouth y Kittery fueron fundados en 1623 y han sido puertos importantes para la pesca y para la construcción de barcos. Página 89.

positrón: partícula elemental que tiene las mismas propiedades que un electrón pero que tiene carga positiva (lo que se opone a la carga negativa de un electrón). No es parte del átomo. Cuando un positrón entra en contacto con un electrón, crea energía. Página 23.

precipitado: en forma repentina y dramática; con mucha prisa. Página 92.

preclear: de *pre-* y *Clear,* una persona que todavía no es Clear; generalmente una persona que está recibiendo auditación y que por lo tanto, está en camino de llegar a Clear; nombre de un estado que se alcanza mediante la auditación o de un individuo que ha alcanzado dicho estado. El Clear es una persona que no está aberrada. Es racional porque concibe las mejores soluciones posibles con los datos que tiene y desde su punto de vista. Página 106.

prejuicio: juicios u opiniones que se tienen independientemente de los hechos que los contradicen. Página 79.

preponderancia: peso, fuerza, importancia o influencia. Página 132.

prerrevolucionaria, China: referencia a China en el periodo que abarca más o menos desde 1928 hasta 1949. Durante este tiempo el gobierno era controlado por los Chinos *Nacionalistas* el partido político que había derrocado al emperador (1911) y había establecido a China como una nación con líderes elegidos. Después de 1928, los nacionalistas trataron de bloquear una revolución por medio del partido comunista chino que era cada vez más poderoso. Al final estalló una guerra civil. Para 1949, habiéndose asegurado la victoria del partido comunista, los nacionalistas se fueron a Taiwán, una isla en la costa sureste de China, y establecieron un gobierno independiente. Página 75.

presuntuoso: que presume o se muestra excesivamente orgulloso de sí mismo. Página 55.

Primer Motor Inmóvil: según el filósofo Aristóteles (384-322 A. C.), aquello que es la primera causa de todo movimiento en el universo, que en sí no tiene movimiento; cosa eterna, inmaterial e inmutable que Aristóteles consideraba el pensamiento o mente divina, o Dios. Página 23.

Primeros Principios: libro escrito por el filósofo inglés Herbert Spencer (1820 - 1903) planeado originalmente como la primera parte de su obra en muchos tomos, *Un Sistema de Filosofía Sintética.* En Primeros Principios, publicado en 1862, Spencer presenta sus puntos de vista básicos sobre la filosofía y el conocimiento, con ejemplos tomados de muchos campos. *Véase también* **Spencer, Herbert** y ***Filosofía Sintética.*** Página 21.

Principio Dinámico de la Existencia: el mínimo común denominador de la existencia, el descubrimiento de L. Ronald Hubbard de que se puede considerar que la meta de la vida es una supervivencia infinita. El hombre, como forma de vida, sigue una orden en todas sus acciones y propósitos: *"¡Sobrevive!".* No es un pensamiento nuevo que el hombre está sobreviviendo. Es un pensamiento nuevo que el hombre está motivado sólo por la supervivencia. Página 36.

procesamiento: aplicación de las técnicas de Dianética y Scientology (llamadas *procesos*). Los procesos se ocupan directamente de incrementar la capacidad del individuo para sobrevivir, incrementar su cordura o capacidad para razonar, su capacidad física y su disfrute general de la vida. También se le llama auditación. Página 53.

propenso: con tendencia a sufrir, hacer o experimentar algo, o expuesto a ello (típicamente algo lamentable o indeseable). Página 106.

propiedad pública: algo que está disponible para una persona, un grupo de personas, la comunidad o el público. Página 138.

prosa: la forma común y corriente de escribir, en contraste con el verso o la poesía. Página 81.

protagonista: el personaje más importante de una novela, obra teatral u otra obra literaria. Página 18.

prototipo: ejemplar original que sirve de modelo para hacer otros de la misma clase. Página 68.

provocativamente: de una forma que invita o estimula la discusión, la expectación, el interés o algo similar. Página 2.

proyectil bengala: bengala de artillería diseñada para explotar en medio del aire mediante una lluvia de partículas brillantes que iluminan el área cercana. Página 21.

pseudo: no real, aparente; falso. Página 26.

psicología del siglo XIX: psicología moderna, formulada en el siglo XIX a partir de las obras de Wilhelm Wundt (1832-1920), psicólogo y fisiólogo alemán; (un fisiólogo es un especialista en el estudio de las funciones de los seres vivos y la forma en que trabajan sus partes y órganos). Su trabajo dio impulso al fundamento fisiológico de la psicología y a la falsa doctrina de que el hombre no es más que un animal. Página 62.

psicosis: conflicto mental que reduce gravemente la capacidad de un individuo para resolver sus problemas en su entorno hasta tal punto que no puede adaptarse a cierta fase vital de sus necesidades ambientales. Página 42.

psicosomático: *psico* se refiere a la mente, y somático se refiere al cuerpo; el término psicosomático quiere decir que la mente hace que el cuerpo enferme o se refiere a dolencias creadas físicamente en el cuerpo por la mente. La descripción de la causa y fuente de las enfermedades psicosomáticas se encuentra en Dianética: La Ciencia Moderna de la Salud Mental. Página 35.

Puente, El: la ruta a Clear y más allá, también conocido como *El Puente Hacia la Libertad Total.* En Scientology, se tiene la idea del puente que cruza el abismo. Proviene de una antigua idea mística de un abismo entre donde uno está ahora y un nivel más alto de existencia, y que mucha gente que intentó lograrlo cayó en el abismo. Hoy en día, Scientology tiene un puente que cruza el abismo y lleva a la persona a un nivel más alto. Es una ruta exacta con procedimientos exactos que proporcionan ganancias espirituales uniformemente predecibles cuando se aplican correctamente. El Puente está completo y se puede caminar en él con certeza. Página 2.

puestos de avanzada: ramificaciones lejanas o remotas. Página 108.

pulidor de vidrio: alguien que pule y lustra lentes para que tengan la curvatura correcta; aquí se usa en referencia al constructor de lentes holandés Hans Lippersheim (1570–1619) quien se afirma inventó el primer telescopio en 1608. Aunque primero se usó para propósitos militares, el telescopio pronto fue adaptado por el físico y astrónomo italiano Galileo Galilei (1564–1642), quien lo usó para observar al sol, la luna, los planetas y las estrellas. Página 20.

R

ratonera: se refiere a un servicio o producto superiores. Esta frase proviene de una declaración que se le atribuyó al conferencista, ensayista y poeta estadounidense Ralph Waldo Emerson (1803-1882): "Si un hombre puede escribir un libro mejor, predicar un sermón mejor o hacer una ratonera mejor que la de su vecino, aunque tenga que construir su casa en los bosques, el mundo acudirá a su puerta". Página 90.

recorrer por completo: agotar la influencia negativa de algo; borrar. Página 106.

redimir: compensar las faltas o aspectos negativos de algo. Página 56.

regalías: pagos que se hacen a un escritor, compositor o inventor que representan un porcentaje de los ingresos que produce su libro, obra musical o invento. Página 137.

regresivo: que retrocede a una condición peor; que va en declive. Página 42.

reincidir: referido especialmente a una falta o a un error, volver a caer en ellos. Página 35.

reino animal: una de las tres amplias divisiones de los objetos naturales: los reinos animal, vegetal y mineral. Un *reino* es una región o sector de la naturaleza. Página 42.

reiterar: volver a decir o hacer una cosa. Página 53.

Remington: máquina de escribir fabricada por la empresa Remington & Sons (Remington e Hijos) de Nueva York. Las máquinas de escribir Remington se empezaron a producir a principios de la década de 1870. Una máquina de escribir manual no requiere electricidad para funcionar. Página 44.

remoto: distante o apartado. Página 108.

renacer: tener un nuevo o segundo nacimiento. Página 101.

reproducción: acción o proceso de copiar un original; duplicación. Página 92.

República, La: una de las obras más importantes de Platón (¿427 - 347? a. C.), famoso por sus obras sobre la ley, las matemáticas, problemas filosóficos técnicos y ciencias naturales. La *República,* escrita en forma de diálogo, es un estudio sobre la naturaleza de la justicia y la organización de una sociedad perfecta. Página 22.

resolución de la junta: decisión o declaración formal de una opinión adoptada por una *junta,* también llamada junta de directores, (grupo oficial de personas que dirigen o supervisan alguna actividad). Página 100.

resurrección: acto de levantarse de la muerte o regresar a la vida. Página 101.

retaguardia: en el ejército, parte de las fuerzas militares que se mantiene más alejada del enemigo o que avanza en último lugar. Por lo tanto, un grupo de personas que no actúan como líderes, sino que están muy atrasados en cuanto a nuevos desarrollos, ideas o acciones. Página 56.

retrospectivo: que se refiere al pasado. Página 23.

revelación: descubrimiento o manifestación de algo ignorado o secreto. Página 3.

reverencia: profundo respeto que se muestra hacia alguien o algo. Página 19.

Rogers, Donald: miembro del staff que trabajó en la Fundación de Dianética en Elizabeth, Nueva Jersey, a principios de la década de 1950. Página 100.

S

Saint Hill: finca (casa grande y los terrenos que la rodean) ubicada en East Grinstead, Sussex, en el sur de Inglaterra. Saint Hill fue la residencia de L. Ronald Hubbard y también el centro internacional de las comunicaciones y el entrenamiento de Scientology desde finales de la década de 1950 hasta mediados de la década de 1960. Página 115.

salas del saber: edificios que usa un instituto o universidad para la enseñanza o la investigación. Página 147.

Salvador: nombre que usan los cristianos para referirse al maestro y profeta Jesucristo. Página 52.

sánscrito: antigua lengua sagrada de la India que cuenta con su propio alfabeto distintivo y que se ha preservado como la lengua literaria de los grupos sacerdotales, eruditos y cultos de la sociedad en la India. Página 20.

santo: alguien que ha sido particularmente bueno en vida y que, después de su muerte, la iglesia católica declara que es alguien con un lugar privilegiado en el cielo y merece ser venerado. También, alguien especialmente bueno o extremadamente amable y paciente al tratar con personas o situaciones difíciles. Página 120.

Schopenhauer: Arthur Schopenhauer (1788–1860), filósofo alemán que creía que la voluntad de vivir es la realidad fundamental y que esta voluntad, al ser un esfuerzo constante, no se puede satisfacer y sólo causa sufrimiento. Página 20.

Scientology: Scientology es el estudio y tratamiento del espíritu con relación a sí mismo, los universos y otros seres vivos. La palabra Scientology viene del latín *scio,* que significa "saber en el sentido más pleno de la palabra" y la palabra griega *logos,* que significa "estudio". En sí, la palabra significa literalmente "saber cómo saber". Página 1.

Scientology, Cruz de: la cruz de Scientology es una cruz de ocho puntas que representan las ocho dinámicas de la vida a través de las cuales cada individuo está intentando sobrevivir: 1) uno mismo; 2) el sexo, la familia y las generaciones futuras; 3) los grupos; 4) la Humanidad; 5) la vida, todos los organismos; 6) la materia, energía, espacio y tiempo, MEST el universo físico; 7) los espíritus; y 8) el ser supremo. En *Dianética: La Ciencia Moderna de la Salud Mental* se describen las primeras cuatro dinámicas, porque Dianética abarca las primeras cuatro dinámicas, mientras que Scientology abarca las ocho dinámicas. Página 3.

Scientology 8-80: libro escrito por L. Ronald Hubbard, publicado por primera vez en 1952, que da la primera explicación de la electrónica del pensamiento humano y los fenómenos de la energía en cualquier ser. Página 68.

Scientology, Símbolo de: el símbolo de Scientology consiste de la letra *S,* de Scientology, que proviene de *scio,* saber en el sentido más amplio de la palabra. El triángulo de abajo es el triángulo de ARC, sus puntas son afinidad, realidad y comunicación, que combinadas nos dan comprensión. El triángulo de arriba es el triángulo de KRC, sus puntas son conocimiento, responsabilidad y control. Al incrementar cada punta de estos triángulos, poco a poco, uno puede incrementar la comprensión y los logros. Página 2.

Segundo Concilio de Constantinopla: asamblea de delegados de la iglesia cristiana (concilio) que se reunieron en el año 553 D. C. para resolver cuestiones de la doctrina eclesiástica. El Segundo Concilio declaró que ciertos puntos de vista eran heréticos, por ejemplo, que el alma existe antes del nacimiento y que un alma purificada iría al Cielo, que no había infierno y que no había resurrección del cuerpo. Tales puntos de vista eran contrarios a la doctrina de la iglesia, que sostenía que el alma no existía antes del nacimiento, que había infierno y que, después de un juicio general de la raza humana, el cuerpo y el alma, una vez reunidos, resucitarían. Página 101.

selección natural: proceso mediante el cual los seres vivos que tienen características que los hacen más capaces de adaptarse a presiones concretas del entorno, como los depredadores, los cambios climáticos, la contienda por el alimento o la pareja, tenderán a sobrevivir y reproducirse en mayores cantidades que otros de su especie, asegurando así la perpetuación de estas características favorables en generaciones sucesivas. Página 22.

sello(s): marca que se usa para certificar una firma o mostrar que un documento es legal. El sello tiene un diseño cortado por debajo de la superficie. Los sellos lacrados se presionan sobre cera o directamente en el papel, dejando la impresión del diseño en la cera o el papel para indicar que el documento es auténtico. Página 68.

simbionte: cualquier entidad de vida o energía que ayuda a un individuo o al hombre en su supervivencia. Página 36. Página 2.

Símbolo de Dianética: el símbolo de Dianética tiene la forma triangular de la letra griega *delta* como su forma básica. Está formada por barras verdes (que representan el crecimiento) y barras amarillas (que representan la vida). Las cuatro barras verdes representan las cuatro dinámicas de Dianética: supervivencia como (I) uno mismo, (II) sexo y familia, (III) grupo y (IV) Humanidad. Página 2.

Símbolo de la Cruz de Scientology: la cruz de Scientology es una cruz de ocho puntas que representan las ocho dinámicas de la vida a través de las cuales cada individuo está intentando el sobrevivir: 1) uno mismo; 2) el sexo, la familia y las generaciones futuras; 3) los grupos; 4) la Humanidad; 5) la vida, todos los organismos; 6) la materia, energía, espacio y tiempo, MEST, el universo físico; 7) los espíritus; y 8) el ser supremo. En *Dianética: La ciencia moderna de la salud mental* se describen las primeras cuatro dinámicas, porque Dianética abarca las primeras cuatro dinámicas, mientras que Scientology abarca las ocho dinámicas. Página 3.

Símbolo de Scientology: el símbolo de Scientology consiste de la letra *S,* de Scientology, que proviene de *scio,* saber en el sentido más amplio de la palabra. El triángulo de abajo es el triángulo de ARC, sus puntas son afinidad, realidad y comunicación, que combinadas nos dan comprensión. El triángulo de arriba es el triángulo de KRC, sus puntas son conocimiento, responsabilidad y control. Al incrementar cada punta de estos triángulos, poco a poco, uno puede incrementar la comprensión y los logros. Página 3.

Símbolo de Thetán Operante: el símbolo de Thetán Operante es un óvalo cruzado por una barra horizontal, con una barra vertical desde el centro hasta la parte inferior del óvalo. "Operante" significa "capaz de actuar y manejar las cosas" y "Thetán" significa el ser espiritual que es el ser básico. "Theta" es una palabra en griego que significa pensamiento, vida o el espíritu. Por tanto, un thetán operante es el que puede manejar cosas sin tener que utilizar un cuerpo o medios físicos. Página 3.

simetría: proporción adecuada de las partes de un todo entre sí y con el todo mismo. Página 81.

sináptico: relacionado con las *sinapsis,* pequeños espacios entre las células nerviosas, las células musculares, etc. a través de las cuales se transmiten los impulsos nerviosos. Página 77.

sinopsis: exposición breve o condensada que da una visión general de algo. Página 33.

sistema endocrino: sistema de glándulas que segregan hormonas (sustancias químicas) de ciertos órganos y tejidos del cuerpo. Estas glándulas y sus hormonas regulan el crecimiento, el desarrollo y la función de algunos tejidos y coordinan muchos procesos dentro del cuerpo. Página 33.

sobresaliente: que sobresale como importante. Página 75.

Sócrates: (¿470?-399 A. C.) filósofo y maestro griego, y una de las figuras más originales e influyentes de la filosofía de la antigua Grecia y de la historia del pensamiento occidental. Antes de Sócrates, la filosofía griega se centraba en la naturaleza y el origen del universo. Él recondujo la filosofía hacia la consideración de los problemas morales y la mejor manera en que debía vivirse la vida. Página 125.

sombras: se refiere a los espíritus de los difuntos en forma colectiva; y también al mundo de los muertos. Página 11.

sombrío: algo cuya consideración preocupa o deprime; triste, demasiado serio o melancólico. Página 136.

Spencer, Herbert: (1820-1903), filósofo inglés conocido por aplicar las doctrinas científicas de la evolución a la filosofía y la ética. Según Spencer, el conocimiento era de dos clases: (1) conocimiento obtenido por el individuo y (2) conocimiento obtenido por la especie. También creía que hay una realidad final básica más allá de nuestro conocimiento, a la que él llamaba lo "Incognoscible". Página 7.

Spinoza: Benedict Spinoza (1632-1677), filósofo y pensador religioso holandés. Creía que la mayor felicidad del hombre consistía en llegar a comprender y apreciar la verdad de que él es una parte diminuta de un dios que está presente en todo. Página 18.

subjetivo: que existe en la mente; depende de la mente o de la percepción de un individuo para su existencia, al contrario de "objetivo". Página 132.

sucinto: breve, preciso o con las palabras justas. Página 132.

superintendente: persona que supervisa o dirige determinado trabajo, establecimiento, organización, etc. Página 76.

superpuesto: acción de añadir una cosa o ponerla encima. Página 77.

susceptible: capaz de recibir modificación o impresión. Página 20.

Sussex: antiguo condado en el sudeste de Inglaterra, dividido ahora en dos condados, East Sussex y West Sussex (Sussex oriental y Sussex occidental). Saint Hill está en East Grinstead, West Sussex. Página 115.

T

taberna clandestina: lugar donde se vendían bebidas alcohólicas durante la *Ley Seca,* un periodo en Estados Unidos (1920-1933) cuando la ley federal prohibió la fabricación, el transporte y la venta de bebidas alcohólicas. Mucha gente ignoró esta prohibición nacional. Página 83.

Tabla de Clasificación, Gradación y Consciencia: *Tabla de Niveles y Diplomas de Clasificación Gradación y Consciencia,* la ruta a Clear y OT (también llamada El Puente a la Libertad Total o El Puente). Se dio a conocer por primera vez en 1965 y es el programa rector de todos los casos. Clasificación se refiere al entrenamiento y al hecho de que se requieren ciertas acciones o la adquisición de ciertas destrezas, antes de que una persona clasifique para un nivel de entrenamiento concreto y se le permita avanzar a la siguiente clase. Gradación se refiere al mejoramiento gradual que ocurre en la auditación de Scientology. Consciencia se refiere a la consciencia de uno mismo, que mejora conforme uno progresa. Scientology contiene el mapa completo para llevar a un individuo a través de los diversos puntos de esta escala de gradación, haciendo que pase a través de El Puente y llegue a un estado de existencia más elevado. Página 120.

Tales: (¿625? - 546 A. C.) el primer filósofo griego conocido y el primer filósofo que intentó descubrir la fuente material elemental de todas las cosas, que él creía que era el agua. Página 20.

Tao: la palabra *Tao* significa el camino al conocimiento. Página 65.

taoístas: aquellos que siguen las doctrinas del *taoísmo,* un sistema chino filosófico y religioso que data de cerca del siglo IV A.C., basado en la doctrina de Lao-se (alrededor del siglo VI a.C.), uno de los grandes filósofos de China. *Tao* significa el camino al conocimiento. Página 65.

tecnología: métodos de aplicación de un arte o una ciencia en oposición al mero conocimiento de la ciencia o del arte mismo. En Scientology, el término *tecnología* se refiere a los métodos de aplicación de los principios de Scientology para mejorar las funciones de la mente y rehabilitar el potencial del espíritu, desarrollados por L. Ronald Hubbard. Página 18.

tedio: aburrimiento extremo o estado de ánimo del que soporta algo o a alguien que no le interesa. Página 81.

telekinesia: desplazamiento a distancia de objetos sin contacto material. Página 123.

teletransportar: *acción de transportar o ser transportado a través del espacio a otro lugar instantáneamente.* Página 18.

télex: sistema de comunicación en dos direcciones que utiliza un mecanismo similar a una máquina de escribir y que se utiliza para escribir un mensaje que luego se transmite electrónicamente a través de líneas telefónicas a otra ubicación donde el mensaje se imprime. *Télex* significa "teleprinter exchange service" (sistema de intercambio mediante una tele-impresora) y es un aparato similar a una máquina de escribir para transmitir mensajes conforme se escriben y para imprimirlos cuando se reciben. Página 111.

teólogo: persona con conocimientos en el campo de la *teología,* el estudio de temas religiosos y filosofía. Página 3.

terapia: administración de las técnicas de Dianética para resolver problemas relativos al comportamiento humano y a las enfermedades psicosomáticas. Página 31.

Terra Incognita: región desconocida o inexplorada. Literalmente, "tierra desconocida" en latín. Página 47.

testosterona: hormona que produce caracteres masculinos en el cuerpo. En 1930 se desarrollaron versiones sintéticas. Debido a que funcionaban acelerando los procesos que constituyen el tejido muscular, se usaron durante la Segunda Guerra Mundial para restaurar el peso corporal de los sobrevivientes de los campos de concentración y otras víctimas de la guerra. Página 33.

Texas: estado situado en el sudoeste de Estados Unidos. Página 106.

theta: fuerza vital, energía vital, energía divina, élan vital, o, con cualquier otra denominación, la energía peculiar de la vida que actúa sobre la materia del universo físico y lo anima, lo moviliza y lo cambia. (De la letra griega *theta,* θ, tradicionalmente el símbolo del filósofo para el pensamiento, el espíritu o la vida). Página 55.

Theta Clear: estado en donde el espíritu puede separarse del cuerpo sabiéndolo y a voluntad. *Véase también* **exteriorización.** Página 55.

Thetán Exterior: un ser que sabe que es un espíritu con un cuerpo y no sólo un cuerpo. Página 123.

Thetán Operante: "Operante" significa "capaz de actuar y manejar cosas" y "Thetán" significa el ser espiritual que es la persona básica. "Theta" en griego quiere decir pensamiento, vida o el espíritu. Por tanto, un Thetán Operante es alguien que puede manejar las cosas sin tener que usar un cuerpo de medios físicos. Página 122.

Thetán Operante, símbolo de: el símbolo de Thetán Operante es un óvalo cruzado por una barra horizontal, con una barra vertical desde el centro hasta la parte inferior del óvalo. "Operante" significa "capaz de actuar y manejar las cosas" y "Thetán" significa el ser espiritual que es el ser básico. "Theta" es una palabra en griego que significa pensamiento, vida o el espíritu. Por tanto, un Thetán Operante es el que puede manejar cosas sin tener que utilizar un cuerpo o medios físicos. Página 3.

Thompson, Comandante Joseph Cheesman: Joseph Cheesman Thompson (1874-1943), comandante y cirujano en la Marina de Estados Unidos, que estudió análisis freudiano con Sigmund Freud (1856-1939). Página 75.

tierras indias de la costa Noroeste: tierras habitadas por los pueblos en la costa noroeste, incluyendo a los tlingit, chinook y haida, que abarca más de 3,200 kilómetros de la costa del Pacífico, desde lo que en la actualidad es el sur de Alaska hasta el norte de California, incluyendo la isla de Vancouver y las islas Queen Charlotte frente a la costa de la Columbia Británica. Página 31.

tipos de bata blanca: alusión a los médicos, psiquiatras y sus ayudantes, etc., que suelen llevar batas blancas. Página 106.

tiralíneas: instrumento de metal, a modo de pinzas, cuya separación se gradúa con un tornillo y sirve para trazar líneas de tinta más o menos gruesas, según dicha separación. Página 116.

Tolomeo: Claudio Tolomeo, siglo II A. C. matemático, astrónomo y geógrafo en Alejandría, Egipto. Sus teorías geométricas explicaban la aparente posición de los planetas, el sol y la luna. Afirmaba que estos cuerpos se mueven, pero las estrellas no. Página 20.

tomo: libro, especialmente uno muy pesado, grande o de mucha información. Página 7.

topografía: ciencia o trabajo de determinar la ubicación, forma o límites de un área de tierra midiendo las líneas y ángulos, a menudo para hacer diseños de ingeniería que muestren cómo se construirán varias estructuras. Página 83.

torre de marfil: lugar de retiro que está apartado y remoto de las realidades del mundo real; algún lugar o condición que está separado de la vida cotidiana. Página 89.

torres artificiales: variación de *torres de marfil.* Una *torre de marfil* es una referencia en sentido figurado al hecho de alejarse de los problemas reales de la vida; un estado o situación donde alguien está protegido de los aspectos prácticos o las dificultades de la vida ordinaria. Página 139.

tortuga de fango: tortuga de agua dulce que vive en el fondo de estanques y arroyos llenos de fango. Página 19.

tortuoso: aplicado particularmente a un camino o algo similar, torcido; que sigue una línea zigzagueante. Página 31.

tragos: bebida alcohólica en pequeñas cantidades. Página 84.

transcribir: (en lo relacionado con materiales o notas que se dictan o con otro material hablado) ponerlo por escrito, especialmente en máquina de escribir. Página 108.

trascendental: que va más allá de los límites o ámbitos normales (por ejemplo, de pensamiento o de las creencias); que sobrepasa o excede lo normal. Página 124.

trascender: ir más allá, sobrepasar cierto límite. Página 115.

trastornado: perturbado mentalmente; demente. Página 36.

tratado: obra sobre un tema que es formal, normalmente escrita de forma extensa. Página 20.

tratamiento: práctica de las técnicas y procedimientos de Dianética para resolver los problemas que tienen que ver con el comportamiento humano y la enfermedad psicosomática. Página 35.

tumultuoso: que se caracteriza por el tumulto (confusión, agitación, perturbación); muy agitado o turbulento. Página 75.

U

Universidad George Washington: universidad privada fundada en la ciudad de Washington, D.C., en 1821. Lleva el nombre del primer presidente de Estados Unidos, George Washington (1732–1799), y tiene varias facultades, incluyendo la de Ingeniería y Ciencias Aplicadas y el Columbian College de Artes y Ciencias. También tiene un largo historial de apoyar la investigación de la física y otros campos técnicos. Página 75.

V

Veda: los Himnos Védicos, los escritos de sabiduría más antiguos. Constituyen la literatura sagrada más antigua de los hindúes, y constan de más de cien libros que aún existen. Hablan de la evolución, de la llegada del hombre a este universo y de la curva de la vida, que es nacimiento, crecimiento, deterioro y decadencia. La palabra *Veda* significa conocimiento. Página 18.

venerar: respetar en sumo grado a una persona por su santidad, dignidad o grandes virtudes, o a una cosa por lo que representa o recuerda. Página 52.

verosímil: que se puede creer. Página 61.

Viejo Oeste: el Oeste de Estados Unidos durante el siglo XIX, una de las últimas zonas de Estados Unidos en ser pobladas. El territorio tenía pocos pobladores; la vida se ganaba mediante trabajo duro, generalmente en granjas y usando herramientas rudimentarias; y el revólver y el cuchillo se usaban para cazar la comida disponible y como medio de protección. A nivel popular, se considera que esa zona y esa época eran una frontera sin ley. Página 139.

Viena: capital de Austria, donde Sigmund Freud (1856–1939) fundó el psicoanálisis; enfatizó que las memorias inconscientes de naturaleza sexual controlan el comportamiento humano. Página 75.

Voltaire: (1694–1778) escritor y filósofo francés que produjo una gama de obras literarias, que a menudo atacaban la injusticia y la intolerancia. Página 21.

W

Western Electric: *Western Electric Company, Inc.,* una empresa estadounidense, importante fabricante de equipos telefónicos, dispositivos electrónicos, satélites de comunicaciones, sistemas de radar y equipamiento de defensa como el que se emplea en los sistemas de misiles, armas nucleares, etc. Página 100.

White, William Alanson: (1870-1937) psiquiatra estadounidense que a principios del siglo XX era superintendente del Hospital Saint Elizabeth en Washington, D.C., y profesor de psiquiatría en la universidad George Washington. Página 76.

Winter, Joseph: médico que estuvo implicado en Dianética e hizo alteraciones en ella al comienzo de los años cincuenta. Página 100.

Y

yogui: alguien que practica el *yoga*. Página 79.

Yoguismo: la enseñanza o práctica del *yoga,* escuela de pensamiento en la religión hindú y sistema de ejercicios mentales y físicos desarrollado por esa escuela. El hinduismo es la principal religión de la India, y enfatiza la libertad respecto al mundo material a través de la purificación de los deseos y la eliminación de la identidad personal. Las creencias hindúes incluyen la reencarnación. Página 18.

ÍNDICE TEMÁTICO

A

B

C

D

E

F

G

H

I

J

K

L

M

N

O

P

Q

R

S

T

U

V

LA COLECCIÓN DE
L. RONALD HUBBARD

"Para realmente conocer la vida", escribió L. Ronald Hubbard, "tienes que ser parte de la vida. Tienes que bajar y mirar, tienes que meterte en los rincones y grietas de la existencia. Tienes que mezclarte con toda clase y tipo de hombres antes de que puedas establecer finalmente lo que es el hombre".

A través de su largo y extraordinario viaje hasta la fundación de Dianética y Scientology, Ronald hizo precisamente eso. Desde su aventurera juventud en un turbulento Oeste Americano hasta su lejana travesía en la aún misteriosa Asia; desde sus dos décadas de búsqueda de la esencia misma de la vida hasta el triunfo de Dianética y Scientology, esas son las historias que se narran en las Publicaciones Biográficas de L. Ronald Hubbard.

Tomada de la colección de sus propios archivos, esta es la vida de Ronald como él mismo la vio. Cada número se enfoca en un campo específico y proporciona los hechos, las cifras, las anécdotas y fotografías de una vida como ninguna otra.

Aquí está la vida de un hombre que vivió por lo menos veinte vidas en el espacio de una.

PARA MÁS INFORMACIÓN, VISITA:

www.lronhubbard.org.mx

The L. Ron Hubbard Series
DIANETICS LETTERS & JOURNALS
The L. Ron Hubbard Series
ADVENTURER/EXPLORER DARING DEEDS & UNKNOWN REALMS
The L. Ron Hubbard Series
EARLY YEARS OF ADVENTURE LETTERS & JOURNALS
The L. Ron Hubbard Series
WRITER THE SHAPING OF POPULAR FICTION
The L. Ron Hubbard Series
LITERARY CORRESPONDENCE LETTERS & JOURNALS
The L. Ron Hubbard Series
POET/LYRICIST THE AESTHETICS OF VERSE
The L. Ron Hubbard Series
COMPOSER & PERFORMER
The L. Ron Hubbard Series
PHOTOGRAPHER WRITING WITH LIGHT
The L. Ron Hubbard Series
FOR A GREENER WORLD
The L. Ron Hubbard Series
MASTER MARINER AT THE HELM ACROSS SEVEN SEAS
RON
The L. Ron Hubbard Series
A PROFILE

Para pedir copias de *La Colección de L. Ronald Hubbard*
o para libros o conferencias de L. Ronald Hubbard
sobre Dianética y Scientology, contacta:

EE.UU. e Internacional

Bridge Publications, Inc.
5600 E. Olympic Blvd.
Commerce, California 90022 USA
www.bridgepub.com
Tel: (323) 888-6200
Número gratuito: 1-800-722-1733

Reino Unido y Europa

New Era Publications
International ApS
Smedeland 20
2600 Glostrup, Denmark
www.newerapublications.com
Tel: (45) 33 73 66 66
Número gratuito: 00-800-808-8-8008

$50.00
WITHDRAWN
8/21/14.